Der Zweite Weltkrieg

Geoffrey Jukes

Panzer vor Moskau

Moewig

Verlagsunion Erich Pabel-Arthur Moewig KG, Rastatt

Titel der Originalausgabe: The Defense of Moscow,
erschienen im Verlag Pan/Ballantine, London/New York
Aus dem Englischen von Wulf Bergner

Umschlagentwurf und -gestaltung:
Werbeagentur Zeuner, Ettlingen
Umschlagfotos: Archiv VPM
Fotos im Innenteil: C. Henrich
Printed in Germany 1994
Druck und Bindung: Elsnerdruck Berlin
ISBN 3-8118-7342-3

Inhalt

Hitlers erste Niederlage
Einleitung von General Hasso von Manteuffel 7
Der Aufstieg Marschall Schukows 11
Hitler will Rußland „erledigen“ 21
Von der Grenze bis Smolensk 42
Cannae am Dnjepr 58
Die Schlacht um die Hauptstadt 84
Die sowjetische Gegenoffensive 123

Hitlers erste Niederlage

Einleitung von General Hasso von Manteuffel

In seiner Weisung Nr. 21 vom 18. Dezember 1940 legte Hitler die Ziele des Unternehmens *Barbarossa* fest: „Die deutsche Wehrmacht muß darauf vorbereitet sein, auch vor Beendigung des Krieges gegen England Sowjetrußland in einem schnellen Feldzug niederzuwerfen ... (Nach Eroberung des Baltikums) sind die Angriffsoperationen zur Besitznahme des wichtigen Verkehrs- und Rüstungszentrums Moskau fortzuführen."

Die weitere Diskussion der geplanten Operationen ließ jedoch immer deutlicher eine Diskrepanz zwischen den Auffassungen Hitlers und seiner Berater im Oberkommando der Wehrmacht (OKW) einerseits und dem Oberkommando des Heeres (OKH) andererseits erkennen. Hitler versuchte, seine in *Mein Kampf* niedergelegten Theorien in die Tat umzusetzen, was bedeutete, daß politische und ideologische Faktoren für ihn ebensoviel Gewicht besaßen wie militärische Erwägungen.

Diese doppelgleisige Denkweise Hitlers und seiner engsten Berater behinderte den Rußlandfeldzug schon im ersten Stadium des Angriffs auf die Sowjetunion (22. Juni 1941) und in den darauffolgenden Monaten bis vor die Tore Moskaus. In Planung und Durchführung gingen Hitler und das OKH deshalb parallele, aber getrennte Wege. Und als der Angriffsbeginn wegen des Balkanfeldzugs um vier bis fünf Wochen verschoben werden mußte, hätte diese Tatsache zu einer Verkleinerung des Operationsgebiets und zur Konzentration auf ein einziges Ziel führen sollen.

Die deutsche Heeresgruppe Mitte, die dem Gegner in einer Serie großer Kesselschlachten schwere Verluste beigebracht hatte, sollte über Minsk, Smolensk und Wjasma nach Moskau vorstoßen, aber es gelang ihr nicht, den feindlichen Widerstand zu brechen. Die schnellen Vorstöße deutscher Panzerkolonnen, die bei bisherigen Feldzügen rasche Siege eingeleitet hatten, wirkten sich im Osten nicht in der erhofften Weise aus. In den Weiten Rußlands konnten einzelne bewegliche Panzerabteilungen nicht angreifen, bevor Infanterie zu ihrer Unterstützung nach vorn gebracht worden war. Deshalb konnten feindliche Großverbände ausbrechen und sich der Verfolgung durch deutsche Kräfte entziehen, sobald sie die riesigen Wald- und Sumpfgebiete erreichten.

Hitler war sich über dieses Problem im klaren, als er am 19. Juli 1941 seine Weisung Nr. 33 erteilte. Darin verzichtete er darauf, Moskau weiterhin als Hauptziel der Heeresgruppe Mitte zu bezeichnen, und ordnete eine Teilung der deutschen Kräfte an: Starke Einheiten der Heeresgruppe Mitte wurden nach Süden in Marsch gesetzt, um gemeinsam mit der Heeresgruppe Süd nach Kiew vorzustoßen und „dem Feind das Entkommen in die Weite des russischen Raumes abzuschneiden und ihn zu vernichten."

Kiew wurde am 19. September 1941 von den Deutschen erobert, aber die Kämpfe dauerten bis zum 26. September an. Diese „ungewollte Schlacht" wirkte sich nicht entscheidend aus. Sie fesselte im Gegenteil die Panzerverbände und bewirkte beträchtliche Zeitverluste; dadurch rückte das Ziel, die Sowjetunion in einem schnellen Feldzug niederzuwerfen, in unerreichbare Ferne.

Sobald der deutsche Angriff auf Moskau am 2. Oktober 1941 wiederaufgenommen worden war, und nachdem Brjansk und Wjasma am 6. und 7. Oktober genommen worden waren, gelang der Heeresgruppe Mitte der Einbruch in den Verteidigungsring um Moskau.

Bereits in den ersten Oktobertagen kündigte sich mit Schnee und gefrierendem Regen der Winter an, der die deutschen Truppen völlig überraschte. Sie waren nicht auf ihn gefaßt und nur unzulänglich ausgerüstet. Dies war ein Rückschlag, den niemand vorausgesehen hatte. Ende November 1941 hatten die Deutschen folgende Positionen erreicht: Die 3. Panzerdivision stand bei Klin an der Straße Kalinin-Moskau, und die Spitze der 7. Panzerdivision hielt einen Brückenkopf östlich des Moskau-Wolga-Kanals bei Jachroma, etwa 35 Kilometer von Moskau entfernt. Im Süden kämpfte die 2. Panzerdivision um die Stadt Tula. Im Westen führte die 4. Infanteriedivision rund 40 Kilometer vor Moskau einen Frontalangriff gegen die Hauptstadt.

Aber die frontal und an den Flanken angegriffenen deutschen Einheiten konnten nicht weiter vorstoßen. Sie standen seit dem 22.

Juni 1941 im Kampf, so daß ihre Kraft und Kampfmoral erschöpft war. Hinter der deutschen Front standen keine Reserven, um die riesigen, rund tausend Kilometer langen Frontlücken zu füllen. Die Rote Armee hatte kein einziges Mal sämtliche Kräfte mobilisiert, um den deutschen Vormarsch zum Stehen zu bringen, aber nun sahen die Sowjets, daß ihre Stunde gekommen war. Von diesem Augenblick an wurden die Ereignisse auf dem Schlachtfeld weder von Hitler noch durch OKW-Befehle diktiert, sondern von dem eigentlichen Gegner – Schukow – bestimmt. In den folgenden Wochen und Monaten erlebte das deutsche Heer, wieviel die Rote Armee auf dem Rückzug in taktischer und operativer Hinsicht dazugelernt hatte.

Im größeren Zusammenhang des Zweiten Weltkriegs betrachtet, signalisierte die mißlungene Niederwerfung der Sowjetunion binnen vier bis fünf Monaten das Ende des Blitzkriegs.

Hitler hatte die Sowjetunion politisch, wirtschaftlich und militärisch unterschätzt. Im Jahre 1939 hatte er es für „eine staatsmännische Leistung“ gehalten, daß Deutschland lediglich an einer Front zu kämpfen brauchte, aber nun war der Zweifrontenkrieg, wie Deutschland ihn bereits im Ersten Weltkrieg erlebt hatte, erneut Wirklichkeit geworden. Die Enttäuschung unter Hitlers Verbündeten war offenkundig, und in den besetzten Gebieten wuchs der Widerstand gegen die Besatzungsmacht. Die Türkei, deren Kriegseintritt an der Seite der Achsenmächte Hitler anstrebte, blieb weiterhin neutral.

Während die alliierte Widerstandskraft beträchtlich gestärkt wurde, profitierte vor allem England von dieser Verschnaufpause, die es dringend benötigte, um seine militärischen Vorbereitungen voranzutreiben und neue Verbündete zu gewinnen. Die Sowjetunion konnte sich auf die Westmächte verlassen und sich ganz auf den Kampf gegen Deutschland konzentrieren; seitdem Japan am 7. Dezember 1941 Pearl Harbor angegriffen hatte, standen die Tore des großen Arsenals der Demokratie auch der sowjetischen Führung offen.

Die Schlacht um Moskau im Winter 1941/42 gilt zu Recht als eine der entscheidenden Schlachten des Zweiten Weltkriegs. Sie war der letzte, verspätete Akt des deutschen Plans zur Niederwerfung der Sowjetunion. Was Hitler von diesem Zeitpunkt an auch tat, konnte nur dazu dienen, seinen unvermeidlichen Sturz hinauszuzögern.

Geoffrey Jukes, der Verfasser des vorliegenden Bandes, ist durch seine Bücher über Stalingrad und Kursk bekannt geworden. Aufgrund seiner eingehenden Kenntnis von Wehrmacht und Roter Armee hat er ein authentisches Bild der Schlacht um Moskau gezeichnet und es verstanden, große Objektivität mit Schwung und Farbigkeit zu verbinden. Dieses Buch ist ein würdiger Nachfolger seiner früheren Werke. In meiner Eigenschaft als Truppenführer und Augenzeuge des deutschen Rußlandfeldzugs bis zu dem erfolgreichen Vorstoß über den Moskau-Wolga-Kanal und dem abschließenden Rückzug kann ich die Richtigkeit seiner Darstellung bestätigen.

Der Aufstieg Marschall Schukows

Wenn die Luftschlacht über England das erste Ereignis war, das die Grenzen der militärischen Leistungsfähigkeit Deutschlands im Zweiten Weltkrieg deutlich aufzeigte, war die Schlacht um Moskau das zweite. Ansonsten hatten diese beiden Schlachten jedoch wenig miteinander gemeinsam. Im ersten Fall bestanden die aufeinandertreffenden Angriffsspitzen, das Fighter Command der Royal Air Force und die Luftflotten 2, 3 und 5, aus Flugzeugbesatzungen, deren Zahl auf deutscher Seite – außer in Augenblikken höchsten Angriffsdrucks – selten höher als 1000 war und diesen Wert auf englischer Seite nie erreichte. Dabei handelte es sich um einen Kampf zwischen hochtechnisierten Teilstreitkräften, dessen Ergebnis ganz erheblich von wissenschaftlichen Faktoren beeinflußt wurde (beispielsweise davon, daß die Engländer über ihr Radarsystem verfügten) und an dem die schlagkräftigste deutsche Waffe – die Panzerwaffe – nicht einmal beteiligt war.

Die Schlacht um Moskau war andererseits ein Titanenkampf, zu dem beide Seiten jeweils über eine Million Mann aufboten. Sie war die erste einer ganzen Reihe solcher Schlachten an der Ostfront, bei denen die deutschen Panzerverbände, der Stolz des Heeres, frontal auf die Rote Armee prallten, die nach Monaten erschöpfender und ergebnisloser Abwehrkämpfe beinahe ausgeblutet zu sein schien. Aber die Angreifer, die zuversichtlich nach dem Siegespreis – der Hauptstadt des einzigen kommunistischen Staates der Welt – griffen, sahen den scheinbar sicheren Erfolg wieder entschwinden und mußten danach einen Rückzug antreten, der beinahe in eine wilde Flucht ausgeartet wäre.

Der Neuaufbau der Roten Armee, nachdem fast sämtliche regulären Verbände, die bei Kriegsausbruch existiert hatten, untergegangen waren (im Dezember 1941 befanden sich nach westlichen Schätzungen rund drei Millionen Rotarmisten in deutscher Kriegsgefangenschaft), war eine beachtliche Leistung, an der das ganze Land auf die eine oder andere Weise Anteil hatte.

Aber die Leitung der Verteidigung der Hauptstadt, für die nur zusammengewürfelte Einheiten, die Überreste geschlagener Armeen, hastig mobilisierte Reservedivisionen und eine fast gänzlich unausgebildete Volksmiliz zur Verfügung standen, war in der Hauptsache das Werk eines einzigen Mannes. Er mußte auch entscheiden, in welchem Augenblick die sowjetischen Reserven, darunter fast die letzten der im Frieden ausgebildeten Kadertruppen – die sibirischen Divisionen der Fernostarmee –, gegen die deutschen Truppen eingesetzt werden sollten, deren Angriffsschwung sich erschöpft hatte – und die sich noch nicht zur Verteidigung eingegraben hatten. Dieser Mann war der Oberbefehlshaber der sowjetischen Westfront (Heeresgruppe), Armeegeneral, später Marschall der Sowjetunion, Georgij Konstantinowitsch Schukow.

Schukow kam am 2. Dezember 1896 in dem Dorf Strelkowka im damaligen Gouvernement Kaluga südwestlich von Moskau zur Welt. Wie viele andere erfolgreiche Generale der Roten Armee stammte er aus ärmlichsten Verhältnissen, und sein Vater, der Schuster war, verbrachte viel Zeit auf Arbeitssuche außer Haus. Im Gegensatz zu vielen seiner Altersgenossen konnte der junge Schukow jedoch mit Erfolg die Schule besuchen, bis er als Zehnjähriger aus der Schule genommen wurde, um sich seinen Lebensunterhalt selbst zu verdienen. Im Jahre 1907 kam er zu einem Bruder seiner Mutter in die Lehre, um in Moskau, wo er sich in Abendkursen weiterbilden konnte, das Gerber- und Kürschnerhandwerk zu erlernen. Wegen der ungeheuren russischen Verluste in den Schlachten des Ersten Weltkriegs wurde Schukow im August 1915 vorzeitig zum 180. Reserve-Infanteriebataillon eingezogen. Nach Abschluß seiner Ausbildung wurde er zum Reiterregiment 10 der Nowgoroder Dragoner versetzt, brachte es dort zum Vizewachtmeister, wurde verwundet und erhielt zweimal das Georgskreuz, eine hohe zaristische Tapferkeitsauszeichnung.

Kurz nach seiner Rückkehr aus dem Lazarett brach die Februarrevolution des Jahres 1917 aus. Wie überall in der Armee wählte auch seine Schwadron einen Soldatenrat, als dessen Vorsitzender Schukow zum Delegierten im Regimentssowjet bestimmt wurde, der im März dafür stimmte, Lenins Bolschewistische Partei zu unterstützen. Dadurch wurde das Regiment in drei einander befehdende Gruppierungen aufgespalten, von denen eine die Bolschewisten, eine die für eine Fortführung des Krieges eintretende Provisorische Regierung und eine die ukrainischen Nationalisten unterstützte, die für die Unabhängigkeit der Ukraine kämpfen wollten. Die *Bolschewiki* befanden sich eindeutig in der Minderheit, und Schukow mußte einige Wochen lang untertauchen, bevor er heimlich nach Moskau zurückkehren konnte, wo er im November 1917 eintraf. Unterdessen hatten die Bolschewiken in St. Petersburg (der damaligen Hauptstadt, die jetzt Leningrad heißt) die Macht ergriffen, und ein Bürgerkrieg, der bis 1922 dauern sollte, war ausgebrochen.

Schukow, der sein Los unterdessen mit dem der Kommunistischen Partei verknüpft hatte, wollte sich freiwillig zu den Roten Garden – dem Nukleus der von der revolutionären Regierung aufzustellenden Armee – melden, aber bevor es dazu kam, wurde er typhuskrank und konnte seine Absicht erst ein halbes Jahr später verwirklichen, indem er als Gefreiter in die 1. Moskauer Kavalleriedivision eintrat. Da die Masse des zaristischen Offizierskorps sich auf die Seite der Weißgardisten geschlagen hatte, herrschte in der Roten Armee großer Mangel an Offizieren, und ein erfahrener Unteroffizier aus einem Eliteregiment der Kaiserlichen Armee konnte damit rechnen, rasch Karriere zu machen.

Gegen Ende des Bürgerkriegs kommandierte Schukow eine Schwadron der Ersten Reiterarmee (deren Oberbefehlshaber Semjon Michailowitsch Budjonni, ebenfalls ein ehemaliger Kavallerieunteroffizier der Kaiserlichen Armee, den er 1941 als Verantwortlicher für die Verteidigung Moskaus ablösen sollte) und hatte beschlossen, Berufssoldat zu werden. Die Erste Reiterarmee war der Stolz der Streitkräfte des neuen Staats, und aus den Reihen ihrer jüngeren Offiziere sollten viele der bekanntesten sowjetischen Generale hervorgehen. Den vielleicht wichtigsten Einfluß auf Schukows Karriere übte später jedoch sein Brigadekommandeur Semjon Konstantinowitsch Timoschenko aus, denn Timoschenko – unterdessen Marschall und Volkskommissar für Verteidigung – holte seinen jüngeren Kameraden 18 Jahre später als Chef des Generalstabs und wichtigsten Mitarbeiter zu sich nach Moskau.

Zwischen den Kriegen war Schukow, der bereits als einer der vielversprechendsten jüngeren Berufsoffiziere der Roten Armee galt, von der Kavallerie zur Panzerwaffe übergewechselt und hatte sich mit der von den Deutschen entwickelten Theorie der modernen Panzerkriegsführung vertraut gemacht, die auch der Chef des sowjetischen Generalstabs, der brillante Marschall M. N. Tuchatschewski, aktiv propagierte.

Schukow war jedoch noch nicht prominent genug, um die Aufmerksamkeit der Geheimpolizei auf sich zu lenken, als Stalin im Jahre 1938 mit seiner katastrophalen Säuberung des Offizierskorps begann. Diese Tatsache sollte Schukow erstmals Gelegenheit verschaffen, sich als Kommandeur größerer Verbände (III. Kavalleriekorps und VI. Kosakenkorps) auszuzeichnen. Wie viele Offiziere, die als „zuverlässig" eingestuft worden waren und deshalb die Säuberungen überlebt hatten, wurde Schukow rasch befördert und gelangte in Positionen, deren frühere Inhaber in den schrecklichen Jahren 1938/39 „verschwunden" waren.

Am 2. Juni 1939 wurde Schukow zum Oberbefehlshaber der sowjetischen und mongolischen Truppen ernannt, die gegen „japanische Soldateska" kämpften, die am 11. Mai 1939 in die Mongolische Volksrepublik, einem Verbündeten der Sowjetunion, eingefallen war. Am 20. August 1939 gingen seine Truppen am Grenzfluß Chalchin-Gol zum Gegenangriff über, und bis zum 31. August befanden sich in diesem nichterklärten Krieg die japanischen Eindringlinge auf der Flucht in das besetzte chinesische Kaiserreich Mandschukuo.

Diese Niederlage sollte später eine wichtige Rolle bei der Entscheidung der Japaner spielen, die Sowjetunion 1941 nicht anzugreifen, was Stalin die Möglichkeit gab, die meisten seiner sibirischen Divisionen nach Westen zu verlegen. In Europa wurde der sowjetische Sieg jedoch kaum beachtet, weil man dort mit Hitlers Kriegsvorbereitungen beschäftigt war.

Am 1. und 2. September 1939 wurden die Meldungen aus der fernen Mongolei in der europäischen Presse durch Berichte über den deutschen Angriff auf Polen sowie die englischen und französischen Ultimaten verdrängt, so daß Europa sich seine Meinung von der Roten Armee und ihrer Führung aufgrund der katastrophal schlechten sowjetischen Leistungen in dem ein Vierteljahr später ausbrechenden Sowjetisch-Finnischen Winterkrieg bildete.

Nur die Japaner beurteilten die Rote Armee als schlagkräftig. Jedenfalls zog Schukows Erfolg seine erste Begegnung mit Stalin

nach sich, mit der eine sich rasch weiterentwickelnde Beziehung begann, durch die Schukow größeren Einfluß auf die militärischen Führungsentscheidungen als jeder andere sowjetische Offizier gewann.

Schukow wurde zunächst Stellvertreter seines alten Vorgesetzten Timoschenko, dem der Wehrkreis Ukraine unterstand, und als Timoschenko im Januar 1940 nach Norden abkommandiert wurde, um den Oberbefehl im Krieg gegen Finnland zu übernehmen, begleitete Schukow ihn als sein Generalstabschef. Die beiden Offiziere brachten diesen katastrophal schlecht geführten Feldzug gemeinsam zu einem erfolgreichen Abschluß, woraufhin Stalin Timoschenko zum Volkskommissar für Verteidigung ernannte und ihm den Auftrag erteilte, die Kampfkraft der Roten Armee wiederherzustellen. Timoschenko setzte Schukow als seinen Nachfolger in dem ukrainischen Wehrkreis ein, der jetzt in Kiewer Sonderwehrkreis umbenannt wurde – wegen seiner langen Grenze mit dem deutsch besetzten Polen ein besonders wichtiges Truppenkommando.

Dort hielt er am 11. Dezember 1940 seine erste öffentliche Rede, in der er das Bedürfnis unterstrich, militärische Fähigkeiten stärker zu bewerten (implizit im Gegensatz zu der Loyalität der politischen Führung gegenüber), einige der älteren Angehörigen des Oberkommandos angriff, von denen viele klassische und vernichtende Beispiele für Offiziere waren, die ihre Beförderungen nicht militärischem Talent, sondern ihrer Treue gegenüber Stalin verdankten, und andeutete, daß es gelte, sich auf einen Krieg gegen Deutschland vorzubereiten.

Das war die vielleicht gefährlichste seiner Äußerungen, weil sie unterstellte, der 1939 geschlossene deutsch-sowjetische Nichtangriffspakt schließe diese Möglichkeit nicht aus, womit wiederum angedeutet war, Stalin lasse sich hereinlegen.

Weder Schukow noch sowjetische Historiker haben erklärt, weshalb er diese Rede gehalten hat – und weshalb er straffrei ausging, nachdem er sie gehalten hatte: Viele seiner Kameraden waren wegen kleinerer Vergehen bestraft worden. Seine damals zum Ausdruck gebrachte Philosophie, daß militärische Operationen von bewährten Berufssoldaten durchgeführt werden müßten, die nicht der Kontrolle durch Politkommissare unterstehen sollten, blieb charakteristisch für Schukow und wurde in die Praxis umgesetzt, als er nach Stalins Tod sowjetischer Verteidigungsminister wurde.

Trotz dieser kaum verhüllten Kritik an bestimmten Aspekten der Regierungspolitik ging es mit Schukows Karriere weiterhin steil aufwärts. Tatsächlich wurde er schon zwei Monate später erneut befördert. Äußerer Anlaß war eine Kommandeurstagung der Roten Armee in Moskau, bei der Referate über moderne Kriegsführung gehalten wurden und ein Kriegsspiel stattfand, das von einem deutschen Angriff ausging. Schukow trug über „Das Wesen der modernen Angriffsoperationen" vor und führte beim Kriegsspiel die „blaue" (westliche) Seite.

Zur Abschlußbesprechung beorderte Stalin die Kommandeure kurzfristig in den Kreml und forderte den Generalstabschef, Armeegeneral K. A. Merezkow, zu einer Darstellung des Übungsverlaufs auf. Merezkow, der sich so kurzfristig nicht hatte vorbereiten können, erstattete einen unbefriedigenden Bericht, wie es wohl jeder an seiner Stelle getan hätte.

Stalin wartete, bis er ausgeredet hatte, und wandte sich dann an Schukow. „Genosse Timoschenko hat vorgeschlagen, Genossen Schukow zum Chef des Generalstabs zu ernennen. Seid ihr alle dafür?" Niemand wagte, ihm zu wiedersprechen, und so gelangte der damals 45jährige Schukow am 1. Februar 1941 auf den zweithöchsten Posten der Roten Armee – über die Köpfe vieler anderer hinweg, die vielleicht zu Recht glaubten, mehr Anspruch auf diesen Posten zu haben.

In seiner neuen Funktion hatte Schukow vor allem die Aufgabe, seinem alten Vorgesetzten und Förderer Timoschenko zu helfen, die im Krieg gegen Finnland aufgetretenen Unzulänglichkeiten auszumerzen und die Rote Armee auf einen Krieg mit Deutschland vorzubereiten, der immer unvermeidbarer zu werden schien. Aber der gewaltige Umfang dieser Aufgabe und Stalins Überzeugung, die Auseinandersetzung mindestens bis 1942 hinausschieben zu können, bewirkten, daß das Modernisierungsprogramm sich frühestens in einem Jahr entscheidend auswirken konnte. Und Hitler sollte sechs Monate nach Schukows Ernennung zum Generalstabschef angreifen.

Als der deutsche Angriff begann, mußten Timoschenko und

Schukow feststellen, daß ihre Streitkräfte in erschreckendem Tempo in deutsche Gefangenenlager abwanderten, daß ihre Luftwaffe am Boden zerstört wurde und daß Stalin entweder keine Befehle gab, was die sowjetische Kriegsmaschine lähmte, weil die Säuberungen jedermann gezeigt hatten, daß Eigeninitiative gefährlich sein konnte, oder Stellungen zu halten befahl, wo es vernünftiger gewesen wäre, durch Preisgabe von Gelände Zeit zu gewinnen und Großverbände zurückzunehmen, bevor sie eingekesselt wurden.

Bei Kiew wurde eine ganze Heeresgruppe vernichtet, weil Stalin nicht zulassen wollte, daß die Stadt aufgegeben wurde. Die Deutschen gaben bekannt, dort 665 000 Gefangene gemacht zu haben. Die Russen bestritten diese Angabe wütend, gaben aber zu, daß sie in zwei Monaten 527 000 Mann verloren hatten, und äußerten sich nur unbestimmt über das Schicksal der mindestens zehn Reservedivisionen, die nach Beginn der Kämpfe in die Ukraine verlegt und vermutlich ebenfalls zerschlagen worden waren, wodurch sich der Gesamtverlust um rund 100 000 Mann erhöhte.

In den Monaten vom 22. Juni 1941 bis zum Beginn des deutschen Angriffs auf Moskau am 2. Oktober war die einzige Schlacht, die mit einem sowjetischen Sieg endete, Schukows im August und September durchgeführte Operation im Raum Jelnja, wo die Deutschen aus der Stadt vertrieben wurden, obwohl sie sich der von ihm versuchten Einkesselung mit knapper Not entziehen konnten. Alle übrigen Kampfhandlungen führten zu russischen Niederlagen oder waren verlustreiche Rückzugsgefechte, durch die Zeit gewonnen wurde, deren Wert sich jedoch erst in Zukunft zeigen würde, wenn die anderen Schlachten, die durch diesen Zeitgewinn ermöglicht wurden, geschlagen waren.

Im Spätsommer 1941 hatten Timoschenko und Schukow längst aufgehört, quasi sitzende Posten im Volkskommissariat für Verteidigung zu bekleiden. Stalin hatte das Amt des Volkskommissars für Verteidigung übernommen und war zum Obersten Befehlshaber der Streitkräfte der UdSSR ernannt worden. Marschall Boris M. Schaposchnikow, ein ehemaliger Oberst der Kaiserlichen Armee – einer der verhältnismäßig wenigen hohen zaristischen Offiziere, die sich auf die Seite der Kommunisten geschlagen hatten –, hatte Schukow als Generalstabschef abgelöst. Ein Hauptquartier

(Stawka) des Obersten Kommandos war eingerichtet worden, und der frühere Volkskommissar für Verteidigung und der ehemalige Generalstabschef wurden als Mitglieder des Hauptquartiers bald hierhin, bald dorthin entsandt, um die rasch aufweichenden Fronten zu stabilisieren. In dieser Eigenschaft als Nothelfer gelang es Schukow, den deutschen Vormarsch bei Jelnja zeitweise zum Stehen zu bringen. Er setzte dort die sechs Armeen seiner Reservefront (Heeresgruppen) ein, um in 26tägigen Kämpfen den deutschen Rückzug aus dem Jelnja-Bogen zu erzwingen und den Vorstoß der Heeresgruppe Mitte auf Moskau aufzuhalten.

Am 10. September 1941 rief Stalin Schukow nach Moskau. Leningrad war von der deutschen Heeresgruppe Nord eingeschlossen, und der Fall der Stadt schien unmittelbar bevorzustehen. Schukow wurde angewiesen, den Oberbefehl über die Leningrader Front zu übernehmen, und traf am 12. September dort ein. In dreitägiger Kraftanstrengung richtete er die abgekämpften Verteidiger wieder auf, setzte zahlreiche hohe Offiziere ab, ließ einige wegen eigenmächtiger Absetzbewegungen standrechtlich erschießen und brachte den Vormarsch der Heeresgruppe Nord zum Stehen.

Obwohl Schukow damals nichts davon ahnte, veranlaßte sein Eingreifen Hitler dazu, den Angriff der Heeresgruppe Nord als „Fehlschlag“ zu beurteilen. Wenig später sollte die Masse ihrer Panzerkräfte, Generaloberst Erich Hoepners Panzergruppe 4, nach Süden in Marsch gesetzt werden, um an der Eroberung Moskaus teilzunehmen. Andererseits hätten die deutschen Panzer bei der Eroberung Leningrads nur eine Nebenrolle spielen können, weil Städte das denkbar schlechteste Kampfgelände für Panzertruppen sind.

Die Stadt hätte von Infanteriedivisionen genommen werden müssen, und sobald die Verteidiger Anzeichen von Schwäche hätten erkennen lassen, hätten die Deutschen zum Sturm auf Leningrad angesetzt, das Hitler wegen seiner strategischen Lage und seiner symbolischen Bedeutung als Wiege der kommunistischen Revolution hartnäckig für wichtiger als Moskau hielt. In der Folge sollte die Stadt eine 900tägige Belagerung überdauern, und obwohl viele Tausende ihrer Einwohner verhungerten, war Leningrad der Eroberung nie wieder so nahe wie in den Tagen unmittelbar vor Schukows Ankunft.

Aus Leningrad wurde Schukow am 5. Oktober 1941 von Stalin nach Moskau gerufen, wo er eine äußerst gefährliche Lage vorfand. Die Verteidigungslinien der drei sowjetischen Heeresgruppen (Westfront, Reservefront und Brjanskfront) hatten dem deutschen Angriff nicht standgehalten, die feindlichen Panzerkolonnen waren durchgebrochen, und zwischen ihnen und der Hauptstadt stand praktisch nichts mehr.

Wie Schukow diese schwierige Lage meisterte, wird an anderer Stelle mit seinen eigenen Worten geschildert. Hier genügt die Feststellung, daß er das Blatt wendete und den Deutschen die erste schwere Niederlage in einer Landschlacht des Zweiten Weltkriegs beibrachte, durch die Hitlers Vertrauen in seine Generale so erschüttert wurde, daß er den Oberbefehlshaber des Heeres, die Oberbefehlshaber der drei Heeresgruppen und 31 weitere Generale ablöste. Die deutschen Verluste an Soldaten, Material und Kampfmoral waren nicht weniger bedeutsam, denn sie bewirkten, daß Deutschland in diesem Krieg nie mehr imstande war, entlang mehrerer strategischer Achsen gleichzeitig zur Offensive überzugehen.

Hitler will Rußland „erledigen“

Im September 1939 stieß das neuartig gegliederte und geführte deutsche Heer mit Angriffsspitzen aus Panzern und motorisierter Infanterie und unter dem Schutz einer starken Luftwaffe nach Polen hinein vor. Die für einen modernen Krieg unzulänglich ausgerüsteten und geführten Polen wurden unfreiwillig zu Versuchspersonen im Rahmen der ersten Einsatzerprobung der in den zwanziger Jahren erstmals von englischen Strategen wie Liddell Hart entwickelten Theorie des Panzerkriegs, für die sich jedoch nur eine Handvoll Offiziere in der 100 000 Mann starken Reichswehr des besiegten Deutschlands wirklich begeistert hatte. Heinz Guderian, der führende Kopf dieser Gruppe, hatte es verstanden, die Einwände konservativ denkender Vorgesetzter zu entkräften, indem er ein Erprobungskommando mit Panzern und motorisierter Infanterie aufgestellt und es schließlich verstanden hatte, Hitler für diese neue Idee zu begeistern und sich seine Unterstützung zu sichern.

Auch andere Armeen hatten mit den Ideen der englischen Theoretiker experimentiert, aber die Philosophie der Beweglichkeit hatte sich aus verschiedensten Gründen nicht durchsetzen können. Deshalb galt der Panzer im allgemeinen weiterhin als Infanterie-Unterstützungswaffe. Das Grundelement taktischer Beweglichkeit blieb der Infanterist, der in der Stunde zwischen fünf und sechs Kilometer marschierte und im Kampf mit Rücksicht auf die erforderliche Flankensicherung noch weit langsamer war.

Nur die neue Wehrmacht verfügte Ende der dreißiger Jahre über größere Einheiten, deren Marschgeschwindigkeit der eines Panzers – etwa 30 Stundenkilometer – entsprach, deren Infanterie verlastet war, um ihre Marschgeschwindigkeit den Panzern anzugleichen, statt umgekehrt, und zu deren Einsatzprinzipien es gehörte, schnell vorzustoßen und sich mit einem Minimum an Flankensicherung zu begnügen.

Die damit erreichte Versechsfachung der taktischen Beweglichkeit sollte dazu genutzt werden, die Fronten einer konventionellen Armee zu durchstoßen, um den Gegner zwischen den beweglichen

Truppen in seinem Rücken und der frontal angreifenden herkömmlichen Infanterie einzukesseln. Sollte er zurückgehen, um die Einkesselung zu vermeiden, würden die Schnellen Truppen ihm durch Störangriffe zusetzen, so daß er keine neue Verteidigungslinie aufbauen konnte; gleichzeitig würden unaufhörliche Stuka-Angriffe dazu beitragen, daß der Rückzug des Gegners sich in eine Flucht verwandelte.

Gegen Polen bewährte sich diese umwälzend neuartige Kampfweise ausgezeichnet, so daß der Polenfeldzug in weniger als drei Wochen im wesentlichen abgeschlossen war. Acht Monate später, im Mai 1940, wurden Guderians Führungsgrundsätze auf eine noch schwerere Probe gestellt, als die neuen Streitkräfte gegen Frankreich, Holland und Belgien antraten, deren Armeen gemeinsam mit den britischen Expeditionsstreitkräften stärker als das deutsche Heer waren.

Ein sechswöchiger Feldzug brachte den Sieg über Frankreich, um den das Heer Wilhelms II. im Ersten Weltkrieg vier Jahre und drei Monate lang vergeblich gerungen hatte, trieb die Engländer über den Ärmelkanal zurück, wobei sie schwere Verluste erlitten und den größten Teil ihres Materials zurücklassen mußten, und setzte die britischen Inseln der größten Invasionsgefahr seit 1805 aus. Die Engländer machten sich auf ungewohnte Abwehrkämpfe gefaßt; ihre Inseln waren seit 1066 nicht mehr erobert worden, aber seither hatte keine Macht den europäischen Kontinent mehr in dem Maße beherrscht, wie es Deutschland 1940 zu tun schien.

Aus mehreren Gründen – politischen und psychologischen wie militärischen – wurde aus dieser Gefahr keine Realität. Hitlers Einstellung den Engländern gegenüber war äußerst komplex und ambivalent. Er war bereit, das Fortbestehen des britischen Weltreichs zu tolerieren, wenn England ihm in Europa freie Hand ließ, und obwohl seine Gestapo erschreckende Pläne für die Verhaftung führender Männer und die Deportation der Arbeitsfähigen in der Zeit nach der Unterwerfung Englands ausarbeitete, hoffte Hitler damals noch, die Engländer würden „Vernunft annehmen“, die Hoffnungslosigkeit eines Kampfes ohne Verbündete einsehen und einem Verhandlungsfrieden zustimmen, durch den er seine Eroberungen konsolidieren würde. Daß er den Durchhaltewillen der Engländer in schwieriger Lage unterschätzte, ist eine historische Tatsache – ebenso wie seine Abneigung gegen die Vorstellung, England könnte ganz aus dem Kreis der Weltmächte ausscheiden.

Sobald die Engländer einen Verhandlungsfrieden kategorisch abgelehnt hatten, begannen jedoch die Vorbereitungen für die Invasion mit dem passenden Decknamen „Unternehmen Seelöwe", und dabei ging es natürlich in erster Linie um strategische Erwägungen.

Der Schlüssel zum Erfolg lag in der Fähigkeit, eine Armee über den Ärmelkanal zu transportieren und zu versorgen, so daß die Lagebeurteilung der deutschen Kriegsmarine entscheidend war. Die Begeisterung ihrer Führungsspitze für dieses Unternehmen wurde durch das Bewußtsein gedämpft, daß die Überwasserstreitkräfte der Royal Navy denen der Kriegsmarine weit überlegen waren und daß sie zur Verteidigung ihrer Heimat von nahegelegenen Stützpunkten aus wirkungsvoll und im Geiste einer jahrhundertealten Siegtradition kämpfen würden. Nur der neue Faktor Luftmacht konnte die Kräftebilanz zugunsten der Kriegsmarine beeinflussen, und das bedeutete, daß die Luftwaffe um Unterstützung gebeten werden mußte, da die Kriegsmarine keine eigenen fliegenden Kampfverbände besaß.

Die durch ihren Oberbefehlshaber, den dicken Reichsmarschall Hermann Göring, personifizierte deutsche Luftwaffe hatte anfangs geglaubt, die Royal Air Force binnen weniger Tage niederkämpfen zu können. Aber als die Tage zu Wochen und die Wochen zu Monaten wurden, zeigte sich, daß die Engländer, auch wenn sie zeitweise unter Druck gerieten, sich zumindest gut behaupten konnten, daß sie mehr deutsche Maschinen abschossen, als sie selbst verloren, und daß ihre Verluste auf dem ausschlaggebenden Sektor der Luftschlacht über England – Flugzeugbesatzungen, vor allem Flugzeugführer – erheblich geringer als bei den Angreifern waren.

Als der Juli 1940 in den August und der August in den September überging, zeigte sich, daß die Luftüberlegenheit – die Voraussetzung für „Seelöwe" – nicht in nächster Zukunft zu erringen sein würde, bevor die im Ärmelkanal einsetzenden Herbst- und Winterstürme Versorgungsschwierigkeiten mit sich bringen würden.

Die Luftschlacht über England hatte erstmals seit Ausbruch des Zweiten Weltkriegs gezeigt, daß Deutschland bis dahin ununterbrochene Siegesserie gestoppt werden konnte. Da die deutsche Luftwaffe sich nicht gegen die RAF hatte durchsetzen können, konnte Deutschlands stärkste Waffe, sein bisher unbesiegtes Heer, nicht gegen England eingesetzt werden, dessen stark angeschlagene Landstreitkräfte vermutlich nicht lange hätten Widerstand leisten können, wenn es tatsächlich zur Invasion gekommen wäre.

Dieser Fehlschlag weckte jedoch keineswegs Zweifel an der Kampfkraft des deutschen Heeres; nur Luftwaffe und Kriegsmarine hatten sich als unzulänglich erwiesen. Und es gab auf dem europäischen Kontinent eine weitere Macht, die Hitler sich noch nicht unterworfen hatte, deren Fortbestand zugleich bedeutete, daß er den Kontinent nicht vollständig beherrschte, deren Staatsgebiet auf dem Landweg zugänglich war und der gegenüber Hitler eine völlig eindeutige Haltung einnahm. Diese Macht war die von dem georgischen Diktator Josef W. Stalin beherrschte Sowjetunion.

Zum damaligen Zeitpunkt waren die beiden Staaten nominell verbündet: Tatsächlich hatte der am 23. August 1939 von den Außenministern Molotow und von Ribbentrop unterzeichnete deutsch-sowjetische Nichtangriffspakt (mit dem geheimen Zusatzprotokoll) den deutschen Angriff auf Polen erst ermöglicht und damit in den Zweiten Weltkrieg geführt. Aber trotz aller aus taktischen Erwägungen heraus für notwendig gehaltenen Zusammenarbeit konnte kein Zweifel an der auf längere Sicht wachsenden Feindseligkeit zwischen den beiden Diktaturen bestehen.

Schon seit der Frühzeit der NSDAP hatte Hitler den kommunistischen Nachbarn im Osten als die gefährlichste Verkörperung der „jüdischen Weltverschwörung" betrachtet, auf die er Deutschlands Unglück zurückführte. Es gab Gespräche über Interessensphären, die abgesteckt werden sollten, sobald das britische Weltreich verteilt werden konnte, aber keine der beiden Regierungen glaubte ernsthaft an die Möglichkeit einer langfristigen Koexistenz. Bezeichnend für Hitlers Einstellung England und der Sowjetunion gegenüber ist die Tatsache, daß sein fataler Ausspruch: „Rußland muß erledigt werden!" am 31. Juli 1940 fiel – nur fünf Wochen nach der Kapitulation Frankreichs und noch vor Beginn der eigentlichen Luftschlacht über England. Tatsächlich waren es noch zwei

Wochen bis zum „Adlertag“ (13. August), mit dem die erste Phase dieser Luftschlacht offiziell begann.

Weder das für die Operationsplanung zuständige Oberkommando des Heeres (OKH) noch das Oberkommando der Wehrmacht (OKW) ließen sich zu diesem Zeitpunkt von ihren berauschenden Erfolgen der Jahre 1939 und 1940 über die Schwierigkeiten dieses erheblich größeren Unternehmens hinwegtäuschen. Schließlich war nur allzu gut bekannt, daß die Verfolgung hinhaltend kämpfender russischer Armeen in den Weiten Rußlands schon viele große Feldherrn vergangener Zeiten – darunter auch Napoleon I. – ins Verderben gestürzt hatte und daß ein langer Feldzug, der Rußland die Möglichkeit geben würde, seine riesigen Menschenreserven zu mobilisieren, wenig Aussicht auf Erfolg hatte. Deshalb waren die Verantwortlichen auf deutscher Seite sich von Anfang an weitgehend darüber einig, daß die Rote Armee rasch und möglichst weit westlich zum Kampf gestellt werden müsse – am besten westlich von Düna und Dnjepr, aber jedenfalls westlich von Moskau.

Der Rußlandfeldzug sollte im Mai 1941 beginnen, das heißt nach dem Frühjahrstauwetter, das die meisten Straßen (von denen nur wenig befestigt waren) in Schlamm versinken lassen würde; er sollte nach spätestens 17 Wochen beendet sein, das heißt, bevor der einsetzende Herbstregen die Straßen wieder grundlos machen würde.

Die nachrichtendienstlichen Erkenntnisse über die Rote Armee waren in mancher Beziehung unzulänglich, aber die sowjetischen Kräfte wurden auf 119 Divisionen (96 Infanterie- und 23 Kavalleriedivisionen) und 28 mechanisierte Brigaden geschätzt, so daß Deutschland mit 146 Divisionen (zwölf motorisierte Divisionen, 24 Panzer- und 110 Infanteriedivisionen) zahlenmäßig überlegen sein würde.

Während die Generale Marcks und Feyerabend im OKH den Operationsentwurf Ost ausarbeiteten, entwarf das OKW eine eigene Aufmarschstudie. Der Marcks-Plan sah zwei Hauptstoßrichtungen vor; eine durch Weißrußland nach Moskau, die andere durch die Ukraine nach Kiew. Die dazu eingesetzten Heeresgruppen sollten unabhängig voneinander und ohne größere Flankensicherung nach klassischer Panzermanier vorstoßen, bis die nördliche Kräftegruppe Moskau erobert hatte, worauf sie nach Süden eindrehen würde, um in den Rücken der sowjetischen Kräfte vor der Front der südlichen Heeresgruppe zu gelangen. Die OKW-Studie sah andererseits vor, daß drei Heeresgruppen (Nord, Mitte und Süd) gegen Leningrad, Moskau und Kiew eingesetzt werden würden, und war konventioneller, weil sie voraussetzte, daß die Heeresgruppen für gegenseitige Flankensicherung sorgen würden, indem sie annähernd gleichschnell vorrückten.

Die deutschen Erkenntnisse über die Rote Armee waren, wie bereits gesagt, teilweise mangelhaft. Im Oktober 1940 wurde ein wichtiger Schritt zur Beseitigung dieser Unzulänglichkeiten unternommen, als Aufklärungsflüge über sowjetischem Gebiet mit dem Ziel, Stellungen, Kasernen, Flugplätze, Munitionslager und ähnliche militärische Einrichtungen zu identifizieren, genehmigt wurden. Im Laufe der nächsten Monate führten solche Aufklärungsflüge immer tiefer in die Sowjetunion hinein, und die Auswertung der dabei gemachten Luftaufnahmen machte eine nach oben korrigierte Neueinschätzung der Stärke der Roten Armee im Mittelabschnitt erforderlich. Diese Entdeckung sowie die Ergebnisse von Kriegsspielen, die das OKH Ende November und Anfang Dezember 1940 veranstaltete, bestärkten General Marcks' frühere Schlußfolgerungen, die gegen Moskau eingesetzte Heeresgruppe müsse besonders stark sein.

Die Planung war nun soweit fortgeschritten, daß sie Hitler vorgetragen werden konnte, und am 5. Dezember 1940 faßte Generaloberst Franz Halder, der Chef des Generalstabs im OKH, die bisherigen Erkenntnisse zusammen. Seine Ausführungen zeigten eine gewisse Angleichung der Vorstellungen von OKH und OKW, da die in der OKW-Studie vorgeschlagenen drei Angriffsspitzen übernommen worden waren. Halder wies darauf hin, daß Leningrad, Moskau und Kiew die drei Zentren der sowjetischen Rüstungsproduktion waren, die von der Roten Armee unter allen Umständen verteidigt werden mußten, wenn sie zu einem langen Krieg imstande sein wollte. Deshalb stellten diese Gebiete strategische Ziele dar, die von jeweils einer Heeresgruppe angegriffen werden sollten. Die Russen konnten sie nur verteidigen, indem sie sich westlich von Düna und Dnjepr zum Kampf stellten, wie es die Deutschen wünschten. Zwei der deutschen Heeresgruppen würden nördlich

der Pripjet-Sümpfe und eine südlich davon eingesetzt werden, so daß die Hauptstoßrichtung entlang der Achsen nach Leningrad und Moskau verlief.

In Hitlers Bemerkungen bei dieser Vorstellung klang erstmals eine Abweichung von der allgemein akzeptierten militärischen Auffassung über die große Bedeutung Moskaus als strategisches Ziel an – eine Meinungsverschiedenheit, die den Rußlandfeldzug im kommenden Sommer immer wieder behindern sollte. Hitler stimmte mit Halder darin überein, daß die entlang der Achse Warschau-Moskau operierende Heeresgruppe Mitte stärker als die anderen sein müsse, aber er begründete dies mit der möglicherweise auftretenden Notwendigkeit, Teile ihrer Kräfte nach Norden einzudrehen, damit sie die Heeresgruppe Nord bei der Zerschlagung von im Baltikum eingekesselten sowjetischen Kräften unterstützen könne; von der überragenden Wichtigkeit ihres eigenen Angriffsziels war dabei nicht die Rede.

Bisher gab es noch keinen amtlichen Decknamen für den geplanten Rußlandfeldzug. Das OKH nannte ihn „Otto", und das OKW hatte überhaupt keinen Namen festgelegt. Kurz nach der Besprechung Halders mit Hitler erhielt das OKW Anweisung, die bisherige Planung in Form einer von Hitler unterzeichneten Führerweisung zusammenzufassen. Der mit dem Decknamen „Fritz" versehene Weisungsentwurf Nr. 21 wurde Hitler am 17. Dezember 1940 vorgelegt und von ihm einen Tag später unter dem imposanten Decknamen „Barbarossa" unterzeichnet, der an Kaiser Friedrich II. erinnerte, wodurch offenbar versucht werden sollte, einen Eroberungsfeldzug als einen modernen Kreuzzug hinzustellen.

So wichtig diese Namensänderung als Hinweis auf die damit verbundenen Vorstellungen Hitlers sein mag, so sehr tritt sie für den Militärhistoriker im Vergleich zu den unterschiedlichen Schwerpunktbildungen zwischen „Fritz" und „Barbarossa" zurück. Der Führer ergänzte seine Bemerkungen vom 5. Dezember, indem er ausdrücklich forderte, nachdem die Heeresgruppe Mitte die sowjetischen Kräfte in Weißrußland zerschlagen habe, müsse sie die Voraussetzungen schaffen „für das Eindrehen von starken Teilen der schnellen Truppen, um im Zusammenwirken mit ... der nördlichen Heeresgruppe die im Baltikum kämpfenden feindlichen Kräfte zu vernichten". So wies er der Heeresgruppe Mitte eine Aufgabe zu, die nicht mit ihrem Vorstoß nach Moskau vereinbar war, den OKW und OKH unterdessen für ihre Hauptaufgabe hielten. Eigenartigerweise meldeten weder OKW noch OKH Widerspruch an, obwohl viele deutsche Generale diesen Aufgabenkonflikt später als den Hauptgrund dafür bezeichneten, daß 1941 nur eines der drei Ziele des Rußlandfeldzuges – Kiew – erreicht wurde.

Aufgrund der Weisung Nr. 21 wurden nun detaillierte Pläne für die Verwirklichung der gestellten Aufgaben ausgearbeitet. Nachdem die Planung Ende Januar 1941 abgeschlossen worden war, wurde sie am 3. Februar dem „Führer" vorgelegt. Die neueren Aufklärungsergebnisse hatten mit der Vorstellung aufgeräumt, daß Deutschland den Rußlandfeldzug mit zahlenmäßiger Überlegenheit würde führen können. Nun rechnete man mit 155 sowjetischen Divisionen (100 Infanterie-, 25 Kavallerie- und 30 mechanisierten Divisionen – alles verdächtig runde Zahlen, die auf wenig genaue deutsche Erkenntnisse schließen ließen), denen 134 deutsche Divisionen (20 Panzer-, 13 motorisierte und 101 Infanteriedivisionen) gegenüberstehen würden. Andererseits galt es als sicher, daß die Russen den Deutschen, die später durch eine noch unbestimmte Zahl rumänischer Divisionen verstärkt werden sollten, in Ausbildung, Ausrüstung und Führung unterlegen waren.

Hitler merkte zu dieser Planung an, daß es für den Fall, daß es den Russen gelinge, sich nach Osten abzusetzen und so der Vernichtung zu entgehen, darauf ankomme, die deutschen Flanken zu stärken und die Rote Armee im Mittelabschnitt zu fesseln, um sie später durch konzentrische Angriffe aus Norden und Süden zerschlagen zu können. Der Generalstab schwieg auch diesmal höflich, obwohl Hitler dadurch nicht zu erkennen gegeben hatte, daß er den Vorstoß nach Moskau für weniger wichtig hielt, sondern in seiner nonchalanten Art auch die Möglichkeit angedeutet hatte, daß die gesamte Blitzkriegstrategie fehlschlagen könne – daß es den Russen gelingen könnte, der Vernichtung westlich der Düna-Dnjepr-Linie zu entgehen und in die Tiefe des russischen Raums zu entkommen, um den langwierigen Krieg zu führen, der durch den deutschen Feldzugsplan gerade verhindert werden sollte.

Der deutsche Generalstab äußerte seine Bedenken in bezug auf diesen Punkt Hitler gegenüber erst im Sommer (die daraus entstehenden Auseinandersetzungen sind in dem Kapitel *Von der Grenze bis Smolensk* eingehender dargestellt). Vorerst genügt es, die Tatsache zu konstatieren, daß Hitler und das OKH schon Ende 1940 unterschiedliche Schwerpunkte setzten. Diese unterschiedlichen Auffassungen entstanden also keineswegs erst Ende 1941, als sich zeigte, daß nicht alle strategischen Ziele erreichbar waren, so daß es notwendig wurde, zwischen ihnen zu wählen.

Alle Invasionskräfte sollten bis zum 15. Mai 1941 in ihren Ausgangsstellungen bereitstehen, und das OKH rechnete damit, ihre Angriffsabsichten äußerstenfalls bis Mitte April tarnen zu können, so daß die Rote Armee etwa vier Wochen vor Kriegsausbruch erfahren würde, daß ein deutscher Angriff bevorstand. Ihre militärischen Qualitäten wurden jedoch – vor allem wegen der schlechten Leistungen sowjetischer Truppen 1939/40 im „Winterkrieg" gegen Finnland – sehr gering eingeschätzt, und das OKH rechnete nicht damit, daß diese Vorwarnzeit sowie die bekannte sowjetische Überlegenheit an Panzern und Flugzeugen der Roten Armee etwas nützen würde. Die Deutschen wußten auch, daß die Sowjets einen Schritt rückwärts getan hatten, indem sie ihre Panzerdivisionen aufgelöst und die Panzer in kleineren Abteilungen auf die Infanteriedivisionen verteilt hatten. Davon war die Rote Armee allerdings teilweise schon wieder abgekommen und stellte jetzt neue mechanisierte Korps auf.

Zufälle verschafften den Russen eine noch längere Vorwarnzeit, aber sie vergeudeten den dadurch gewonnenen Vorteil, indem sie die Anzeichen für einen unmittelbar bevorstehenden deutschen Angriff bis fast zum letzten Augenblick ignorierten. Ende März 1941 trat die achsenfreundliche jugoslawische Regierung dem Dreimächtepakt bei, was in Jugoslawien zu einem spontanen Volksaufstand, dem Sturz der Regierung durch einen Militärputsch und dem Widerruf des Abkommens führte. Hitler bekam einen Wutanfall wegen dieser Beleidigung Deutschlands und befahl den sofortigen Einmarsch in Jugoslawien und Griechenland (wo die italienische Invasion abgewehrt worden war). Für ein Eingreifen auf dem Balkan standen jedoch nur Truppen zur Verfügung, die für „Barbarossa" vorgesehen gewesen waren, so daß dieses Unternehmen verschoben werden mußte.

Der deutsche Balkanfeldzug begann am 6. April 1941, und am 7. April änderte das OKH den „Barbarossa"-Zeitplan dahingehend ab, daß der Angriff gegen die Sowjetunion vier bis sechs Wochen nach Abschluß der Operation in Südosteuropa beginnen sollte. Aber als die Änderung beschlossen wurde, standen die meisten der für „Barbarossa" vorgesehenen Einheiten (fast drei der vier geplanten Staffeln) bereits in Polen und Ostpreußen. Ihre Anwesenheit wurde von Agenten der Polnischen Heimatarmee (einer der polnischen Exilregierung unterstehenden Partisanenbewegung) nach London gemeldet.

Winston Churchill warnte Stalin im April 1941 vor der Massierung deutscher Truppen entlang der sowjetischen Grenze. Aber Churchill hatte sich seit 1917 als unversöhnlicher Gegner des Kommunismus erwiesen, war einer der Hauptbefürworter der Intervention englischer Truppen im russischen Bürgerkrieg 1918-22 gewesen und hatte für ein Eingreifen Englands und Frankreichs auf der Seite Finnlands im Winterkrieg 1939/40 plädiert. Stalin, selbst ein trickreicher und skrupelloser Manipulator, hielt Informationen aus solchen Quellen von vornherein für wenig glaubwürdig. Er war der Überzeugung, Churchill gehe es nur darum, den auf Großbritannien lastenden Druck zu verringern, indem er die Sowjetunion ebenfalls in den Krieg gegen Deutschland hineinzog, und ignorierte deshalb die Warnung aus London.

Berücksichtigt man Stalins Veranlagung und Churchills antikommunistische Vergangenheit, war diese Reaktion vielleicht sogar verständlich, wenn auch unentschuldbar. Weniger leicht zu begreifen ist jedoch Stalins Weigerung, gleichlautende Meldungen seiner eigenen Nachrichtendienste ernstzunehmen, die er doch wohl für zuverlässiger hätte halten müssen. Seine Untätigkeit trotz dieser vorliegenden Berichte ist von den sowjetischen Historikern bisher nicht zufriedenstellend erklärt worden, und jeder Erklärungsversuch muß überwiegend spekulativ bleiben. Wahrscheinlich dürfte die Erkenntnis, daß die Rote Armee für einen in nächster Zukunft ausbrechenden Krieg völlig unzulänglich ausgebildet und ausgerüstet war – und daß dies hauptsächlich seine Schuld war, Stalins Einstellung zu diesen Meldungen, die zu besagen schienen, daß die Zeit der schweren Prüfung schon bevorstand, beeinflußt haben.

Bis zum Jahre 1937 war es Stalin gelungen, alle potentiellen Konkurrenten, die ihm die politische Führerschaft der Sowjetunion hätten streitig machen können, aus dem Weg zu räumen. Der Selbstbehauptungswille der Kommunistischen Partei war durch jahrelange Säuberungen gebrochen: sie war zu einem gedemütigten und willfährigen Werkzeug Stalins geworden. Es gab jedoch noch einen weiteren Machtfaktor in Form der Streitkräfte, und in den Jahren 1937/38 hatte Stalin das Offizierskorps einer Reihe von Säuberungen unterzogen, die es ebenso gefügig machen sollten wie den Parteiapparat. Vor Beginn der Säuberungen gab es in der Roten Armee 300 Offiziere vom Divisionskommandeur aufwärts; davon wurden 183 abgelöst, verhaftet und zum Teil erschossen, während die übrigen in Gefängnisse oder Straflager eingeliefert wurden, in denen sie unter schlimmsten Bedingungen Zwangsarbeit leisten mußten, an der viele von ihnen vorzeitig starben. Zu diesen 183 hohen Offizieren gehörten drei der fünf Marschälle der Sowjetunion und dreizehn der 15 Armeekommandeure (Viersternegenerale).

Die genaue Zahl der verschwundenen Offiziere unterhalb der Generalsränge ist nicht bekannt; soll sich auf mehr als 25 000 Kommandeure und Kommissare belaufen haben. Zu den an die Wand Gestellten gehörte der Chef des Generalstabs, Michail Nikolajewitsch Tuchatschewski, ein hochbegabter Offizier, der die Einführung der deutschen Panzerkriegsgrundsätze in die Rote Armee entscheidend gefördert hatte. Marschall W. K. Blücher, der 1938 die japanischen Übergriffe auf sowjetisches Fernostterritorium am Hasan-See abgewehrt hatte, zählte ebenso zu den Opfern dieser Säuberungen wie eine ganze Anzahl der begabtesten Denker und Neuerer in der Roten Armee.

Ersetzt wurden diese Offiziere hauptsächlich durch Männer, die sich eher durch bedingungslose Treue Stalin gegenüber als durch militärische Fähigkeiten auszeichneten – K. J. Woroschilow, I. G. Kulik, L. S. Mechlis und andere. Die Folgen solcher Führungsqualität sollten sich schon bald in den miserablen Leistungen der zahlenmäßig weit überlegenen Roten Armee im sowjetisch-finnischen Winterkrieg 1939/40 zeigen. Nur indem Stalin Woroschilow als Volkskommissar für Verteidigung durch Marschall Semjon Timoschenko (einer der wenigen hohen Berufsoffiziere, die nach wie vor sein Vertrauen genossen) ersetzte, gelang es ihm, den Winterkrieg siegreich zu beenden – jedoch erst, nachdem die zusehende

Weltöffentlichkeit fast einmütig zu dem Schluß gelangt war, die Rote Armee sei ein „Papiertiger“ mit geringer Kampfkraft.

In diesem pessimistischen Chor gab es jedoch eine bemerkenswerte Ausnahme: Japan. Da die Truppen und der General, die den Japanern Anlaß zu einer abweichenden Beurteilung gaben, in der Schlacht um Moskau entscheidende Rollen spielen sollten, lohnt es sich, einen Blick auf die Gründe für Japans anderslautendes Urteil zu werfen. Im Jahre 1938 drangen japanische Truppen am Hasan-See an der mandschurisch-sowjetischen Grenze auf sowjetisches Gebiet vor. Sie wurden nach einigen Tagen schwerer Kämpfe von sibirischen Einheiten der Fernostarmee vertrieben – jener Armee, die 1941 fast geschlossen nach Westen geworfen wurde, weil sie die letzte noch verfügbare Kaderformation zur Verteidigung Moskaus war.

Japan hatte sich bei seinem Griff nach sowjetischem Territoium die Finger verbrannt, aber im Jahr darauf besetzten etwa 75 000 Japaner mongolisches Gebiet am Grenzfluß Chalchin-Gol. Die Volksrepublik Mongolei berief sich auf ihren Beistandspakt mit der Sowjetunion, und bereits in der Mongolei stationierte sowjetische Truppen wurden an den Chalchin-Gol entsandt. Aus Rußland kamen weitere Verstärkungen, und ein fähiger General, der aus der Kavallerie hervorgegangen war, wurde zum Befehlshaber ernannt. In der Zeit vom 20. bis 31. August 1939 brachte er den Japanern, die 41 000 Gefallene, Verwundete und Gefangene verloren, eine vernichtende Niederlage bei, während die sowjetisch-mongolischen Gesamtverluste nach russischen Angaben 9 824 Mann betrugen. Dieser General hieß Georgij Konstantinowitsch Schukow; der Sieg am Chalchin-Gol war seine erste gewonnene Schlacht.

Seinen nächsten Sieg sollte Schukow zweieinhalb Jahre später in der Schlacht um Moskau erringen. In dieser Schlacht würden die sibirischen Truppen eine überragende Rolle spielen, und ihr Einsatz würde durch den Entschluß Japans ermöglicht werden, 1941 nach Süden in die Kolonialgebiete der kriegsführenden europäischen Mächte vorzustoßen, anstatt im Norden gegen die bedrängte Sowjetunion anzutreten. Ein wichtiger Faktor für diese japanische Entscheidung waren sicherlich die 1938 und 1939 in Kämpfen gegen die Rote Armee erlittene Niederlage – vor allem am Chalchin-Gol. Indem Schukow 1939 die Japaner in der Mongolei schlug, beeinflußte er also den Verlauf des Zweiten Weltkriegs und schuf vor allem eine der Voraussetzungen für seinen Sieg in der Schlacht um Moskau.

Die Kämpfe am Chalchin-Gol wurden damals in Europa jedoch kaum beachtet (der Zweite Weltkrieg brach einen Tag nach ihrem Abschluß aus), und ihre Auswirkung auf die Beurteilung der Roten Armee durch westliche Militärfachleute wurde wenig später völlig durch das Beinahe-Fiasko des sowjetischen Angriffs gegen Finnland überschattet. Timoschenko erhielt den Auftrag, die durch diesen ungeschickt geführten Feldzug aufgedeckten Mängel der Roten Armee zu beheben, und machte sich geschickt und energisch an ihre Beseitigung. Fähige Offiziere, die im Zuge der Säuberungen inhaftiert worden waren, wurden rehabilitiert und befördert; unter ihnen befand sich auch General K. K. Rokossowski, der später Marschall der Sowjetunion und einer der erfolgreichsten russischen Heerführer wurde.

General Schukow, ein Kamerad Timoschenkos aus ihrer gemeinsamen Kavalleristenzeit, wurde Befehlshaber des Kiewer Sonderwehrkreises, der an das deutsch besetzte Polen grenzte, und stieg im Februar 1941 zu Timoschenkos wichtigstem Mitarbeiter bei der Modernisierung der Roten Armee auf, als er Chef des Generalstabs wurde. Die durch die deutschen Feldzüge in Polen und Frankreich als völlig verfehlt entlarvte Entscheidung, die Panzerdivisionen aufzulösen, wurde rückgängig gemacht; statt dessen begann auch die Rote Armee mit dem Aufbau mechanisierter Korps, die nach deutschem Vorbild Panzer und motorisierte Infanterie umfaßten.

Aber die Aufgabe war so gewaltig – zu ihren schwierigsten Aspekten gehörte sicherlich die Wiedererweckung des Selbstbewußtseins des gedemütigten Offizierskorps: eine Voraussetzung für die Entwicklung wünschenswerter Eigeninitiative –, daß sie frühestens 1942 halbwegs abgeschlossen sein konnte. Stalin war sich darüber im klaren, und es ist höchst wahrscheinlich, daß er absichtlich alle Hinweise ignorierte, die ab Anfang 1941 den Schluß nahelegten, die Rote Armee werde kämpfen müssen, bevor sie kampfbereit sei. Ihre schlechte Verfassung war vor allem auf die von ihm getroffenen Maßnahmen zurückzuführen: ihre zahlenmäßige Stärke ließ sich rasch durch nicht bekanntgegebene Teilmobilmachungen erhöhen, die Anfang 1941 stattfanden. Aber die Verbesserung von Kampfkraft und -moral kostete erheblich mehr Zeit.

Stalins Lebenslauf läßt auf kein empfindliches Gewissen schließen, aber von April bis Juni 1941 muß sogar er sich Vorwürfe gemacht haben, und die Erstarrung, in die er nach dem deutschen Überfall mehrere Wochen lang verfiel, untermauert diese Vermutung.

Stalin redete sich ein, das Unvermeidbare lasse sich vermeiden. Er beschloß, Hitler bis zum äußersten entgegenzukommen, um ihm keine „Ausrede" für einen Angriff zu liefern – daß Hitler selbst keine Entschuldigung brauchte und imstande war, passende Ausreden für den Inlandgebrauch zu erfinden, war eine unangenehme Tatsache, vor der Stalin die Augen verschloß, obwohl Polen, Dänemark, Norwegen, Belgien, die Niederlande und Luxemburg warnende Beispiele waren. Die Sowjetunion lieferte weiter Rohstoffe an Deutschland – darunter Erdöl und NE-Metalle, die in wenigen Wochen deutsche Panzer antreiben und zur Herstellung ihrer Munition dienen würden.

Die entlang der sowjetischen Grenze aufmarschierenden deutschen Truppen durften unter keinen Umständen provoziert werden. Ein deutscher Fernaufklärer mußte auf sowjetischem Gebiet notlanden, und seiner Besatzung gelang es nicht, die gemachten Luftaufnahmen zu vernichten. Nachdem sie entwickelt worden waren, bat Timoschenko um Erlaubnis, in Zukunft auf solche Eindringlinge schießen zu lassen. Stalin verweigerte sie ihm jedoch, weil das eine Provokation gewesen wäre. So brummten die deutschen Aufklärer Tag für Tag ungehindert über die Sowjetunion und vervollkommneten ihr Feindlagebild.

Trotz ihrer erzwungenen Untätigkeit waren die sowjetischen Streitkräfte zahlenmäßig stark und verfügten über ein beeindruckendes Potential. Die Bevölkerung der Sowjetunion, damals rund 170 Millionen Menschen, war doppelt so groß wie die Deutschlands, und obwohl es keine amtlichen sowjetischen Angaben darüber gibt, wie viele Divisionen im Sommer 1941 unter Waffen standen, dürften es nach Schätzungen von Fachleuten über 230 gewesen sein. Viele von ihnen, vor allem die im Landesinneren, bestanden nur aus Kadern, die erst im Mobilmachungsfall auf volle Stärke (14 300 Mann) gebracht werden sollten. Zur Abwehr des ersten deutschen Ansturms standen in den Grenzwehrkreisen 132 Divisionen bereit – erheblich weniger als die 155 Divisionen, mit denen die Deutschen rechneten, aber immerhin eine Streitmacht, die bei entsprechender Ausbildung, Bewaffnung und Führung imstande sein mußte, die angreifenden 134 deutschen Divisionen aufzuhalten. Dagegen sprachen jedoch der niedrige Ausbildungsstand und die schlechte Kampfmoral vor allem der Offiziere, die fehlenden Erfahrungen mit der deutschen Blitzkriegstaktik und die Tatsache, daß der deutsche Angriff die Rote Armee in einer schwierigen Umgliederungsphase überraschte, in der viele Infanteriedivisionen weniger als ihre Sollstärke aufwiesen und die neu aufgestellten Panzerdivisionen der mechanisierten Korps erst weniger als die Hälfte der vorgesehenen Panzerausstattung erhalten hatten.

Wie sich dann zeigte, konnten die Deutschen sogar mehr Divisionen als ursprünglich geplant für den Angriff bereitstellen: 141 deutsche Divisionen (89 Infanterie-, 51 Panzer- oder motorisierte Infanterie- und eine Kavalleriedivision) sowie 14 rumänische Divisionen und ein ungarisches Armeekorps mit etwas mehr als zwei Divisionen; im Norden verfügten die finnische Armee und das deutsche Armeeoberkommando Norwegen über rund 20 weitere Divisionen. Die gesamte Angriffsstreitmacht entsprach etwa 181 Divisionen und 18 Brigaden, von denen rund 160 Divisionen an der Hauptfront zwischen Ostsee und Schwarzem Meer angriffen. Die Rote Armee war den Angreifern also in bezug auf einsatzbereite Divisionen unterlegen; dafür besaß sie bei Panzern große zahlenmäßige Überlegenheit mit 34 Panzerdivisionen, denen die Deutschen nur 20 gegenüberstellen konnten – aber die Panzer dieser russischen Divisionen waren den deutschen Panzerkampfwagen (PzKpfw) III und IV größtenteils unterlegen. Allerdings erhielt die sowjetische Panzertruppe gerade zwei sehr kampfstarke Fahrzeuge – den schweren Panzer KW („Klim Woroschilow“) und den mittelschweren T-34. Sobald sie in größeren Stückzahlen ausgeliefert waren und ihre Besatzungen sie beherrschen gelernt hatten, sollten sie sich als äußerst unangenehme Gegner erweisen.

Vor allem der neue T-34 war ein für die damalige Zeit sehr moderner Panzer; er war jedoch im Juni 1941 noch nicht in größerer

Zahl eingeführt, so daß seine noch unerfahrenen Besatzungen in den bevorstehenden Kämpfen keine bedeutende Rolle spielen konnten. Die meisten sowjetischen Panzerdivisionen waren mit veralteten Panzern wie den Typen BT-7 und T-26 ausgestattet, und von allen Panzerfahrzeugen (schätzungsweise etwa 20000, obwohl die Sowjets niemals genaue Angaben gemacht haben – vermutlich um nicht zugeben zu müssen, welch gewaltige Streitmacht von nur etwa 3700 deutschen Panzern vernichtend geschlagen worden war) waren zum Zeitpunkt des deutschen Angriffs nur rund 8000 einsatzbereit – darunter weniger als 1500 Fahrzeuge der beiden neuen Typen.

Bei den Luftwaffen standen die Dinge ähnlich. Auf deutscher Seite waren die Luftflotten 1, 2 und 4 den Heeresgruppen Nord, Mitte und Süd zugeteilt und verfügten über rund 5000 Flugzeuge. Die sowjetische Luftwaffe besaß etwa 12 000 Maschinen aller Typen, von denen die meisten an der Westgrenze des Landes eingesetzt werden konnten. Aber diese Flugzeuge waren den deutschen im allgemeinen unterlegen, und ihren Besatzungen fehlte die Erfahrung. Verschlimmert wurde die Lage durch die Tatsache, daß die Flugzeuge nicht auf Feldflugplätze verteilt wurden, als vor dem unmittelbar bevorstehenden Angriff gewarnt wurde, sondern auf ihren bereits von deutschen Aufklärern aufgenommenen Fliegerhorsten abgestellt blieben, wo sie in den ersten Stunden nach Kriegsbeginn zu Hunderten zerstört wurden. Vermutlich wurden allein am 22. Juni über 1200 sowjetische Maschinen vernichtet – die meisten von ihnen am Boden.

Die Gliederung der Landstreitkräfte in den sowjetischen Grenzwehrkreisen in den ersten Monaten des Jahres 1941 hätte der deutschen Angriffstaktik kaum mehr entgegenkommen können, wenn das OKH sie hätte festlegen dürfen. Unter Woroschilows Führung hatten bombastische Behauptungen über die Unbesiegbarkeit der Roten Armee überlegte Planung als Grundlage militärischer Doktrin weitgehend abgelöst. Der Truppe wurde eingehämmert, falls es zu einem Angriff komme, werde sie den Feind augenblicklich von dem geheiligten Heimatboden vertreiben und auf seinem eigenen Gebiet zerschmettern. Diese Vorstellung sowie die auf den Erfahrungen des Ersten Weltkriegs beruhende Auffassung, daß der nächste Krieg ebenfalls wieder ein Stellungskrieg sein werde, hatten dazu geführt, daß die sowjetischen Kräfte gleichmäßig entlang der Westgrenze verteilt waren und Stellungen in Grenznähe bezogen hatten.

In jedem Krieg steht der Verteidiger vor dem Problem, daß er auf gesamter Frontlänge einen Durchbruch verhindern muß, während der Angreifer an von ihm gewählten Stellen zahlenmäßig überlegene Kräfte zusammenziehen kann, selbst wenn er insgesamt schwächer sein sollte. Die Gliederung der Roten Armee in den Grenzwehrkreisen sah jedoch nur wenige Reserven für die Bereinigung von Durchbrüchen vor und brachte die dort stationierten Einheiten in Gefahr, eingekesselt und Stück für Stück zerschlagen zu werden. Weiter verschlimmert wurde die Lage durch die Tatsache, daß viele dieser Einheiten sich nicht in ihren Stellungen befanden, sondern im Zuge der Sommermanöver über weite Gebiete verteilt waren. Daß größere Verbände weit hinter der Grenze standen, war angesichts der deutschen Blitzkriegstechnik sogar vorteilhaft, aber sie bildeten keine einheitlich geführte Reserve, sondern wurden nach Kriegsausbruch größtenteils lediglich in Richtung Westen auf den Kanonendonner zu in Marsch gesetzt, um dort gemeinsam mit ihren Kameraden eingekesselt zu werden.

Erst am Nachmittag des 21. Juni 1941, einem Samstag, gelangte Stalin zu dem Schluß, die deutschen Angriffsvorbereitungen nicht länger ignorieren zu können. Das Politbüro trat zusammen, um über Abwehrmaßnahmen zu beraten. Auf dieser Sitzung wurden die neuesten und genauesten Aufklärungsergebnisse vorgelegt – darunter auch die Aussagen deutscher Überläufer, daß der Angriff für kommende Nacht geplant sei. Aber Stalin wollte noch immer nicht wahrhaben, daß Hitler im Begriff sei, ihn und das deutsch-sowjetische Bündnis mit dem Zynismus zu behandeln, mit dem er selbst sich in der Vergangenheit über so viele Verpflichtungen hinweggesetzt hatte. Erst vor sechs Tagen hatte die sowjetische Nachrichtenagentur TASS mit seiner Genehmigung in einer offiziösen Meldung alle Gerüchte zurückgewiesen, daß ein sowjetisch-deutscher Krieg bevorstehe. Auf dieser Politbürositzung ließ Stalin sich über die Möglichkeit aus, daß ein deutscher General oder eine Gruppe von Generalen es darauf anlege, Hitler in einen Krieg zu verwickeln, indem die Sowjetunion durch eine „Provokation" zum Angriff verleitet werde.

Nach längeren Beratungen wurde jedoch beschlossen, die Rote Armee in Alarmbereitschaft zu versetzen, die Truppen in Verteidigungsstellungen einrücken zu lassen, die Flugzeuge auf Feldflugplätze zu verteilen, Luftschutzmaßnahmen einzuleiten und die Städte zu verdunkeln. Aber alles sollte unter größter Geheimhaltung geschehen, um keine Ausrede für eine „Provokation“ zu liefern, und selbst Truppen, die Angriffe erfolgreich abwehrten, durften den Gegner unter keinen Umständen bis auf deutsch besetztes Gebiet verfolgen. Diese Anweisungen waren so geheim, daß niemand sie erfahren durfte, bis sie alle zur Übermittlung bereitlagen; deshalb mußten Timoschenko und Schukow die Telegramme eigenhändig in Timoschenkos Dienstzimmer ausschreiben und keines durchgeben, bevor nicht alle fertig vorlagen.

Diese übermäßige Geheimhaltung führte dazu, daß nur die Marine (deren Oberbefehlshaber, Flottenadmiral N. G. Kusnezow, seine Einheiten über ihr eigenes Nachrichtennetz alarmieren ließ, sobald er von der Gefahr hörte) rechtzeitig genug benachrichtigt wurde, um noch reagieren zu können. Selbst dort gab es Schwierigkeiten, als deutsche Bomber über den Marinestützpunkten erschienen, weil die für die Luftabwehr zuständigen Kommandeure sich ohne Befehl von oben in einigen Fällen weigerten, die vor ihren Augen angegriffene Flotte durch Flakfeuer oder Jägereinsatz zu verteidigen. Die Übermittlung des Alarmierungsbefehls an Heer und Luftwaffe begann erst lange nach Mitternacht – viel zu spät, um in Grenznähe noch wirksam werden zu können, und in vielen Fällen zu spät, um die vorgeschobenen Einheiten zu erreichen, bevor das deutsche Artilleriefeuer und die Luftangriffe ihnen signalisierten, daß der Krieg begonnen hatte.

Am Sonntag, den 22. Juni 1941 – dem 129. Jahrestag von Napoleons Einmarsch in Rußland –, griff eine erprobte, bewährte und kriegsbereite Armee eine andere an, die das alles nicht war. Innerhalb weniger Wochen war die sowjetische Militärstruktur zerschlagen: Die Masse der regulären Streitkräfte sowie Hunderttausende von hastig einberufenen Reservisten waren gefallen oder in Kriegsgefangenschaft geraten. Die Deutschen hatten mit Kiew und Charkow die dritt- und viertgrößten sowjetischen Städte erobert und standen vor den Toren der beiden einzigen größeren: Moskau und Leningrad. Der Wirbelsturm, der im vergangenen

Jahr über Frankreich hinweggefegt war, schien nun auch ganz Rußland zu erfassen.

Daß der deutsche Ansturm zuletzt doch aufgehalten und zurückgeschlagen werden konnte, war auf viele Faktoren zurückzuführen. Zu den wichtigsten gehörten jedoch die militärischen Fähigkeiten und eisernen Nerven des Siegers von Moskau, Stalingrad, Kursk und Berlin: des 45jährigen Generals Schukow, der in dieser Nacht im Dienstzimmer des Volkskommissars für Verteidigung saß und hastig Telegramme schrieb. Von allen Schlachten, die seinen Ruf als einen der bedeutendsten Heerführer des Zweiten Weltkriegs begründeten, war keine für die Zukunft seines Landes bedeutsamer als die Schlacht um Moskau. Und keine wurde auf sowjetischer Seite mit schwächeren Kräften begonnen.

Von der Grenze bis Smolensk

Wie schon vor fast zwei Jahren gegen Polen wurde die Wehrmacht unter einem Trommelfeuer aus Propagandalügen gegen die Sowjetunion in Marsch gesetzt. In ihrem Tagesbefehl an die Truppe und in den für das deutsche Volk bestimmten Erklärungen rechtfertigten Hitler und seine Komplicen den Angriff als Abwehr eines unmittelbar bevorstehenden sowjetischen Überfalls. Andererseits wäre es verfehlt, Mitleid mit dem Stalinregime zu empfinden, das ebenso zynisch wie das Hitlerregime war und erst vor kurzem mit der selben Ausrede – Abwehr eines bevorstehenden Angriffs – den eigenen Überfall auf Finnland zu rechtfertigen versucht hatte. Als Molotow den deutschen Botschafter nach Überreichung der deutschen Kriegserklärung fragte: „Glauben Sie, daß wir das verdient haben?", sprach daraus nicht gekränkte Unschuld, sondern die Enttäuschung des verratenen Mitverschwörers. Noch heute bezeichnen sowjetische Historiker den deutschen Überfall als „Vertrauensbruch", ohne jedoch allzu deutlich darauf hinzuweisen, daß damit tatsächlich ein formeller Nichtangriffspakt gebrochen wurde – ein Bündnis mit dem Nationalsozialismus, dessen die meisten Russen sich heutzutage schämen.

Da manchmal noch immer behauptet wird, die Deutschen seien mit ihrem Angriff einem sowjetischen Überfall zuvorgekommen (eine vor allem von General Schmidt, dem in Stalingrad gefangengenommenen Chef des Stabes der deutschen 6. Armee, nach seiner Heimkehr vertretene These), ist es vielleicht angebracht, sich einen Überblick über die tatsächlichen Verhältnisse am Morgen des 22. Juni 1941 zu verschaffen.

Als erstes ist festzustellen, daß starke sowjetische Verbände entlang und hinter der Grenze stationiert waren und daß sie zum Teil – jedoch bei weitem nicht in ausreichendem Umfang – in Kampfbereitschaft versetzt worden waren. Diese Faktoren könnten als Beweis dafür gedeutet werden, daß die Rote Armee ihre Vorbereitungen für einen Überfall auf die deutsch besetzten Gebiete Polens traf. Andererseits läßt sich diese grenznahe Stationierung jedoch auch als Folge der konservativen Stalin-Woroschilow-Doktrin erklären, die nicht mit Durchbrüchen von Panzerkräften rechnete, eine Abwehr auf breiter Front voraussetzte und auf der Vorstellung basierte, den erfolgreichen Abwehrschlachten werde eine auf ebenso breiter Front vorgetragene Gegenoffensive folgen, um den Gegner „auf eigenem Boden" zu schlagen.

Was die Tatsache betrifft, daß verschiedene Einheiten kampfbereit waren, enthalten sowjetische Quellen genügend Hinweise darauf, daß diese „Kampfbereitschaft" in den meisten Fällen von örtlichen Kommandeuren – im allgemeinen ohne Wissen ihrer Vorgesetzten – befohlen worden war. Diesen Kommandeuren war das, was sie jenseits der Grenze hörten (und in einigen Fällen auch sahen), so unheimlich, daß sie ihre Truppe wenigstens aus den Unterkünften abzogen, damit sie nicht in ihren Betten bombardiert oder beschossen werden konnten. Bestätigt werden diese Aussagen durch Berichte mehrerer deutscher Generale über die Ereignisse der ersten Tage – und vor allem durch unterschiedliche Auffassungen auf deutscher Seite, die lange vor „Barbarossa" deutlich wurden. Der angesehenste der älteren Generale, Feldmarschall Gerd von Rundstedt, der Oberbefehlshaber der Heeresgruppe Süd, war gegen den Ostfeldzug. Hitler bemühte sich, ihn davon zu überzeugen, daß Rußland einen Überfall im Sommer 1941 vorbereite, aber Rundstedt blieb skeptisch und stellte nach dem Krieg fest, er habe jenseits der Grenze keine Anzeichen für Angriffsvorbereitungen auf sowjetischer Seite entdecken können.

Jedenfalls hätte das bei Beginn des deutschen Angriffs auf allen Befehlsebenen der Roten Armee ausbrechende Chaos wohl kaum auftreten können, wenn diese Armee im Begriff gewesen wäre, selbst zur Offensive überzugehen. Auf jede rechtzeitig alarmierte Einheit kamen Dutzende, bei denen nicht Alarm gegeben worden war; mechanisierte Korps waren ohne Panzer, motorisierte Infanterie ohne LKW, Artillerie ohne Munition und Offiziere ohne Befehle.

Hätte die Rote Armee tatsächlich am Vorabend eines eigenen Angriffs gestanden, stünden ihre Kommandeure als die ungeschicktesten Aggressoren der Kriegsgeschichte da. Daß Stalin damit rechnete, früher oder später gegen Deutschland kämpfen zu müssen, ist unbestreitbar; aus sowjetischen Quellen geht allerdings nicht hervor, ob er selbst angegriffen oder einen deutschen Angriff abgewartet hätte. Ebenso klar ist jedoch, daß er wußte, daß die Rote Armee noch nicht kampfbereit war – daß sie das erst Mitte 1942 sein würde. Für ihn wie für Timoschenko und Schukow kam der Krieg etwa zwölf Monate zu früh.

In den ersten Tagen des Rußlandfeldzugs sah es so aus, als lasse sich die Absicht des OKH, die Rote Armee westlich der Düna-Dnjepr-Linie zu vernichten, tatsächlich verwirklichen. Die grenznahe Stationierung der sowjetischen Kräfte kam dem deutschen Streben nach großen Umfassungsoperationen wie maßgeschneidert entgegen, und die hartnäckige Standhaftigkeit russischer Truppen (ebenso aus Angst vor den Folgen eines eigenmächtigen, wenn auch zweckmäßigen Rückzugs wie aus dem Wunsch, jeden Schrittbreit Heimaterde zu verteidigen) machte den Deutschen ihre Aufgabe noch leichter. Stalin ließ Armeegeneral D. G. Pawlow, den Oberbefehlshaber der Westfront, und seinen Stabschef, Generalmajor W. J. Klimowskich, verhaften und erschießen, was den Durchhaltewillen einiger anderer Generale gestärkt haben mag, aber jedenfalls nicht dazu beitrug, ihre Eigeninitiative zu fördern.

Die sowjetischen Grenztruppen lösten sich in kleine, zufällig zusammengewürfelte Einheiten auf, denen zum Teil – wenn sie von energischen Kommandeuren geführt wurden – der Ausbruch nach Osten durch das weitmaschige Netz der deutschen Panzerdivisionen gelang. Für andere, die weniger Glück hatten, begann der lange Marsch in deutsche Kriegsgefangenenlager, aus denen bei Kriegsende nur wenige von ihnen zurückkehren würden. Überall herrschte ein an Panik grenzendes Gefühl der Desorganisation. General Popel, der die Überreste seines XV. mechanisierten Korps durch die deutschen Einschließungslinien nach Osten zurückführte, berichtete von Offizieren, die in Dörfern Zivilkleidung stahlen oder kauften, um sich in ihre Heimat durchschlagen und den Krieg vergessen zu können, und schilderte seine Überraschung, als er viele Kilometer hinter den deutschen Linien einen einsamen russischen Gefreiten entdeckte, der ein ganzes Feld voller unbeschädigter sowjetischer Panzer bewachte, von denen nicht einer einen Tropfen Treibstoff im Tank hatte.

Für die Deutschen waren die ersten drei Wochen des Rußlandfeldzugs eine Wiederholung des Polen- und Frankreichfeldzugs.

Ihre Verluste waren verschwindend gering: Die in den ersten zehn Tagen gefallenen 8886 Deutschen entsprachen etwa sechs Mann pro Division und Tag, zu denen weniger als 20 Verwundete kamen. Solche Verluste ließen sich fast unbegrenzt lange ertragen – jedenfalls für die Dauer eines Blitzkriegsfeldzugs, der auf nur vier Monate angelegt war. Und wenn die Infanterie der Roten Armee weiterhin wie bis dahin von der Sichel der deutschen Panzerarmeen niedergemäht wurde, brauchte der Feldzug nicht einmal so lange zu dauern.

So häufig der Schwerpunkt der deutschen Angriffe sich auch verlagern mochte – die Auseinandersetzungen zwischen Hitler und seinen Generalen über diesen Punkt sind im nächsten Kapitel dargestellt –, so völlig stand auf sowjetischer Seite außer Zweifel, daß Moskau um jeden Preis verteidigt werden sollte. Der Vormarsch der deutschen Heeresgruppen Nord und Süd wurde mit Beunruhigung verfolgt, aber der Vorstoß der Heeresgruppe Mitte beiderseits der Hauptverkehrsader Brest-Moskau (eine der wenigen damals in der Sowjetunion vorhandenen befestigten Straßen) rief höchste Besorgnis hervor, weil er die Hauptstadt bedrohte. Generalfeldmarschall Fedor von Bocks Truppen, deren Angriffsspitzen die Panzergruppen 2 und 3 bildeten, rückten im Schnitt fast 30 Kilometer pro Tag vor und waren am 10. Juli schon bis in den Raum Smolensk vorgestoßen. Wenn sie diese Stadt erreichten, hatten sie von Brest-Litowsk aus 680 Kilometer zurückgelegt, waren nur mehr 420 Kilometer von Moskau entfernt und würden die Hauptstadt bei gleichbleibendem Vormarschtempo in weiteren zwei Wochen erreichen. Deshalb mußte die Heeresgruppe Mitte unbedingt aufgehalten oder ihr Vormarschtempo zumindest erheblich herabgesetzt werden.

Die Grenztruppen im Mittelabschnitt, die sowjetische 3., 4. und 10. Armee, waren in den Kesseln von Bialystok und Minsk geblieben, aber die Mobilmachung war inzwischen voll im Gange, und die Stawka-Reserven wurden so rasch in den Raum Smolensk geworfen, wie das überlastete Eisenbahnnetz sie transportieren konnte. Am 10. Juli bestanden die sowjetischen Kräfte an der Westfront, die den Abschnitt zwischen Idriza im Norden und Rjetschiza im Süden zu verteidigen hatte, aus fünf Armeen – der 13., 19., 20., 21. und 22. Armee –, einer sechsten Armee (der 16. Armee) als Reserve und den Überresten der 4. Armee, die sich in die von der 13. und 21. Armee gehaltenen Abschnitte zurückzog.

Das Vormarschtempo der zu Düna und Dnjepr vorstoßenden 4. Panzerarmee überraschte die Rote Armee jedoch: Ihre Verteidigungsgliederung war unvollständig, und starke Teile der 19., 20. und 21. Armee standen noch weit von den ihnen zugewiesenen Abschnitten entfernt. Entlang der 800 Kilometer langen Westfront standen nur 24 Divisionen wie vorgesehen; sie verfügten gemeinsam über lediglich 145 einsatzbereite Panzer. Obwohl die Panzerkräfte der Heeresgruppe Mitte dezimiert waren – allerdings mehr durch die auf schlechten Straßen zurückgelegten großen Entfernungen als durch die Rote Armee –, besaßen die Angreifer zu Beginn der Schlacht noch eine fünf- bis siebenfache Panzerüberlegenheit.

In der Luft sah es ähnlich aus: Die deutsche Luftflotte 2 verfügte noch über rund 1000 einsatzfähige Maschinen, während die sowjetischen Verteidiger knapp 400 Flugzeuge besaßen, die von Plätzen starteten, auf denen doppelt so viele zerstörte Maschinen lagen, die vor dem 22. Juni nicht mehr rechtzeitig auf Feldflugplätze verlegt worden waren. Auch in bezug auf Granatwerfer und Geschütze waren die Deutschen mit 6600 zu 3800 deutlich überlegen.

Vor Kriegsausbruch hatte einer der Glaubensgrundsätze sowjetischer Militärs besagt, eine Verteidigungslinie lasse sich gegen einen mit dreifacher Überzahl angreifenden Gegner halten, aber die Deutschen hatten diese Auffassung seit September 1939 so oft widerlegt, daß es Mitte Juli 1941 wohl nur noch wenige sowjetische Kommandeure gab, die daran glaubten. Trotzdem mußte enlang der Düna-Dnjepr-Linie eine große Abwehrschlacht geliefert werden, wenn Moskau nicht in Gefahr geraten sollte.

Ein Faktor, der sich zugunsten der Roten Armee auswirkte, war die Tendenz der Deutschen, die verfügbaren sowjetischen Reserven und die Geschwindigkeit zu unterschätzen, mit der sie mobilisiert werden konnten. Das deutsche OKH glaubte, die sowjetische Westfront verfüge nur mehr über elf kampfstarke Divisionen, und war der Überzeugung, sobald sie zerschlagen seien, liege der Weg nach Moskau offen vor den deutschen Truppen. Deshalb waren weder Angriffsgliederung noch Nachschub auf längere Kämpfe abgestellt, sondern die Verantwortlichen befaßten sich schon mit weiteren Möglichkeiten.

Am 13. Juli 1941, an dem Guderians Panzerspitzen bis auf 18 Kilometer an Smolensk herankamen, verzeichnete er folgende weitere Operationen, die zu diesem Zeitpunkt im OKH untersucht wurden:

1. Eine Schwerpunktverlagerung, zu der seine Panzergruppe von der Mittelachse abgezogen werden sollte, um die Heeresgruppe Süd zu unterstützen.

2. Eine Ausarbeitung des Generalstabs über die in der Sowjetunion zu stationierenden Besatzungstruppen nach dem Sieg über Rußland.

3. Eine Ausarbeitung über die Verteilung des deutschen Heeres in Europa nach Abschluß von „Barbarossa" und einer Verringerung der Heeresstärke.

4. Die Strategie des Nordafrikafeldzugs im Zusammenwirken mit einem Angriff auf den Suezkanal durch die Türkei und Syrien.

5. Vorstudien für einen Angriff auf den Persischen Golf durch den Kaukasus.

Dazu Guderians bitterer Kommentar in der Nachkriegszeit: „Solche Gedankengänge entfernen einen weit von der Realität." Sie waren nur in einer Organisation möglich, die der Überzeugung war, der gegenwärtige Feldzug sei so gut wie vorüber. Daß er das keineswegs war, mußten Guderians Divisionen bereits feststellen: Die 10. und 18. Panzerdivision sowie die 29. Infanteriedivision (mot.) meldeten schwere Verluste, sehr starken russischen Widerstand und aus Osten herantransportierte beträchtliche sowjetische Verstärkungen.

Die Schlacht bei Smolensk begann offiziell am 10. Juli, als die Panzergruppen 2 und 3 aus dem Raum Witebsk in Richtung Duchowschtschina und aus dem Raum Orscha in Richtung Jelnja angriffen, um die sowjetische 16., 19. und 20. Armee im Mittelteil von Timoschenkos Front abzutrennen und einzukesseln. Zugleich traten die Kräfte an der linken Flanke der Panzergruppe 3 aus ihren Brückenköpfen jenseits der Düna zum Angriff in Richtung Welikije Luki an, und Guderians rechter Flügel stieß nach Roslawl vor.

Die Angreifer stießen sofort auf starken Widerstand, der durch schweres Artilleriefeuer unterstützt wurde. Im Frontabschnitt der 20. Armee stießen sie erstmals auf eine neue sowjetische Waffe, die als „Stalinorgel“ berühmt werden sollte – den Raketenwerfer „Katjuscha“. Marschall Jeremenko schilderte seine Wirkung: „Der Effekt Dutzender gleichzeitiger Detonationen übertraf alle unsere Erwartungen. Die feindlichen Truppen stürzten in panikartiger Flucht davon. Aber unsere an der Front in der Nähe der Detonationen stationierten Truppen kamen ebenfalls zurückgerannt, weil sie aus Geheimhaltungsgründen nicht über den geplanten Einsatz der neuen Waffe informiert worden waren.“

Wie sich dann zeigte, standen noch nicht genügend Katjuschas zur Verfügung, um sich entscheidend auswirken zu können, aber allein ihre Existenz war wie die des Panzers T-34 und des Schlachtflugzeugs IL 2 *Sturmowik* ein Gefahrensignal. Die russische Erfindungsgabe durfte keineswegs unterschätzt werden.

Trotzdem setzten die Deutschen ihre Angriffe fort und durchbrachen die sowjetische Front schon bald an mehreren Stellen. Nördlich von Smolensk geriet die 22. Armee schon bald in eine kritische Lage, weil ihre rechte Flanke am 11. Juli durch den Rückzug ihres nördlichen Nachbarn (der 27. Armee der Nordwestfront) entblößt wurde, während Hoths Durchbruch in Richtung Witebsk ihren südlichen Nachbarn, die 20. Armee, nach Südosten abdrängte, wodurch ihre linke Flanke entblößt wurde und sie selbst isoliert in ihren Stellungen im Raum Polotsk und in einem Brückenkopf westlich der Düna zurückblieb.

Die sechs Divisionen der 22. Armee hatten einen 280 Kilometer langen Frontabschnitt zu verteidigen. Am 12. und 13. Juli wurden sie von Teilen von etwa 16 Divisionen der Heeresgruppen Nord und Mitte angegriffen; am 16. Juli war ihre Front durchbrochen, Welikije Luki und Witebsk waren in Gefahr, und den sowjetischen Truppen drohte eine weitere Kesselschlacht. Schon am 10. Juli war General Iwan S. Konjew zum Gegenangriff übergegangen und hatte einen deutschen Einbruch mit zwei Divisionen seiner eigenen 19. Armee und Teilen der benachbarten 20. Armee bereinigt, aber die Lage im Süden der Smolensker Front verschlimmerte sich zu rasch, als daß solche Notlösungen sich entscheidend hätten auswirken können.

Am 11. Juli eroberte Guderians Panzergruppe 2 Brückenköpfe jenseits des Dnjeprs südlich von Orscha und nördlich von Nowy Bychow, aus denen sie am nächsten Morgen zum Angriff in Richtung Smolensk und Kritschew antrat, um die sowjetische 13. Armee im Norden und Süden zu umgehen. Vier ihrer Infanteriedivisionen und die Überreste des XX. mechanisierten Korps wurden bald von der Armee abgeschnitten und verteidigten sich in und um Mogilew, wo sie zwei von Guderians Panzerkorps zwei Wochen lang fesselten, bis sie endlich niedergekämpft waren, wodurch sein Offensivvorstoß nach Roslawl geschwächt wurde. Der Rest der 13. Armee wurde jedoch nach Osten und Südosten abgedrängt, womit jegliche Hoffnung schwand, die Deutschen westlich des Dnjeprs zum Stehen bringen zu können, wenn es nicht gelang, sie durch eine Bedrohung ihrer Flanke und ihrer rückwärtigen Verbindungen zur Umkehr zu zwingen.

Timoschenko hatte diese Möglichkeit bereits erkannt und befahl am 13. Juli Generalleutnant W. F. Gerassimenkos 13. Armee, den Dnjepr nach Westen zu überschreiten und nach Nordwesten in Richtung Bobruysk anzugreifen, um Guderians Nachschub zu unterbrechen. Dieser neue Angriff machte den Generalen der Heeresgruppe Mitte erhebliche Sorgen – vor allem Guderian, dessen Verbände weiter und weiter nach Osten auseinandergezogen wurden. Seine 29. Infanteriedivision (mot.) eroberte am 16. Juli Smolensk, aber sein die rechte Flanke bildendes XXIV. Panzerkorps war schweren Angriffen der 13. Armee ausgesetzt. Er entschied sich jedoch nicht nur dafür, seine Angriffsziele beizubehalten, sondern zog sogar das XLVI. Panzerkorps ab, damit es Hoths Panzergruppe 3 bei der Vernichtung der nordöstlich von Smolensk eingekesselten Divisionen der 22. Armee unterstützen konnte. Wie sich dann herausstellte, war sein Optimismus gerechtfertigt, weil der Angriff der sowjetischen 13. Armee liegenblieb, aber der Vorstoß nach Osten in Richtung Roslawl, Jelnja und Dorogobusch büßte dadurch notwendigerweise den größten Teil seines Angriffsschwungs ein.

Die Stawka war ihrerseits wegen des Verlusts von Smolensk und der Einbrüche in die Dnjeprfront sehr besorgt, so daß Timoschenko den Befehl erhielt, die Lage zu bereinigen. Er bekam weitere Reserven zugewiesen, und hinter der Westfront wurde eine von Staraja Russa über Ostaschkow und Jelnja nach Brjansk verlaufende Reservefront aufgebaut. Ihr Oberbefehlshaber war ab 14. Juli Generalleutnant G. I. Bogdanow, der jedoch am 30. Juli von Schukow abgelöst wurde; sie bestand aus nicht weniger als sechs neuen Armeen – 24., 28., 29., 30., 31. und 32. Armee, von denen zwei (31. und 32. Armee) als Reserve hinter den anderen bereitgehalten wurden. Obwohl sie nur wenige Flugzeuge besaß (lediglich 153 fronttaugliche Maschinen), stellte sie trotzdem eine beachtliche Verstärkung der nachgebenden Westfront dar. Wegen der weiteren Verschlechterung der sowjetischen Lage im Frontabschnitt Smolensk mußte sie jedoch schon bald in Teilen zu einem am 25. Juli beginnenden allzu ehrgeizigen Gegenangriff eingesetzt werden.

Dieser Angriff hatte den Zweck, die Masse der Westfront zu entlasten, indem aus Bely, Jarzewo und Roslawl an der Flanke der deutschen Panzergruppe 2 in Richtung Smolensk angegriffen, die Stadt zurückerobert und westlich von ihr eine Verteidigung mit der Westfront gesucht wurde. Durch eine Umgliederung von fünf Armeen der Reservefront wurden fünf armeegroße Kampfgruppen gebildet, die aus vier Panzer- und 16 Schützendivisionen bestanden. Die verbleibende Armee der Reservefront – die 32. Armee – wurde einer neuen Heeresgruppe (Front der Verteidigungslinie Moschaisk) zugeteilt, zu der auch zwei weitere neue Armeen gehörten: die 33. und 34. Armee. Diese neue Front sollte die als Verteidigungslinie Moschaisk bezeichneten Stellungen beziehen, Panzerhindernisse vor und hinter sich anlegen und eine weitere Auffangstellung zwischen Nudol und Wysokinitschi ausbauen. Wie stark die Besorgnis wegen der Moskau drohenden Gefahr geworden war, zeigt dieser Schritt: Moschaisk liegt keine 100 Kilometer westlich von Moskau, und General Artjomjew, der Oberbefehlshaber der neuen Heeresgruppe, war Kommandeur des Moskauer Wehrkreises.

Aus deutscher Sicht kam die Schlacht bei Smolensk Ende Juli 1941 zufriedenstellend voran, obwohl der sowjetische Widerstand sich hartnäckiger als erwartet herausstellte, so daß zu erkennen war, daß die Annahme, hinter Smolensk werde der Weg nach Moskau frei sein, übermäßig optimistisch gewesen war.

In anderen Bereichen der langen Front war die Lage jedoch nicht gerade ermutigend. Der Vormarsch der Heeresgruppe Nord war zunächst an der Luga zum Stehen gekommen, während die Heeresgruppe Süd zwar vor Kiew stand, aber ihren Angriffsschwung im Augenblick ebenfalls eingebüßt zu haben schien. Hitler tendierte zu diesem Zeitpunkt offenbar immer mehr dazu, den Angriffsschwerpunkt aus der Mitte auf die Flanken zu verlagern und dort die Entscheidung zu suchen. Aber bevor es zu dieser Verlagerung kam, verstärkte Bock (dessen persönliches Interesse an druckvollen Angriffen seiner Heeresgruppe Mitte durch die Befürchtung gesteigert wurde, Hitler könnte ihn zur Abgabe scheinbar untätiger Verbände zwingen) den Druck auf die nahezu isolierte sowjetische 22. Armee.

Der deutsche Angriff zwang die 22. Armee zur Räumung ihrer Stellungen bei Polotsk und zum Rückzug nach Nordosten. Rasch vorstoßende Panzerverbände eroberten am 20. Juli hinter ihr die Stadt und den Eisenbahnknotenpunkt Welikije Luki, so daß ihr Rückzug gefährdet war, aber ein hastig organisierter sowjetischer Gegenstoß vertrieb die Deutschen am nächsten Tag wieder aus der Stadt. Dank dieser Atempause gelang der 22. Armee ein geordneter Rückzug über den Fluß Lowat. Am 27. Juli hatte sie Stellungen am Ostufer bezogen, die sie trotz mehrmaliger deutscher Umgehungsversuche im Süden bis Ende August 1941 hielt. Dadurch gewährte sie der benachbarten Nordwestfront Flankenschutz in diesen für die Verteidiger des Raums Leningrad entscheidenden Wochen.

Angreifer und Verteidiger waren sich darüber im klaren, daß die Kämpfe im Raum Smolensk – entlang der direkten Route nach Moskau – entscheidend sein würden, und Bock entschied sich für die Vernichtung der sowjetischen 16. und 20. Armee, die vor Wjasma, der hinter Smolensk nächsten größeren Stadt an Straße und Bahnstrecke nach Moskau, standen. Ohne daß er es wußte, hatten die Sowjets sich zu einer Operation entschlossen, die wie bestellt zu seinem geplanten Angriff paßte. In dieser Beziehung hatte Bock mehrmals Glück; etwas Ähnliches sollte sich im Jahr darauf ereignen, als er als Oberbefehlshaber der Heeresgruppe Süd feststellen konnte, daß Timoschenkos Truppen geradewegs in einen deutschen Kessel marschierten. Die Stawka hatte aus operativen Gründen beschlossen, eine zusätzliche Front (d.h. eine Heeresgruppe) für die Kämpfe am Unterlauf der Beresina zu bilden und die Ver-

antwortung der Westfront auf die Abwehrschlacht im Raum Smolensk und am Fluß Sosch zu beschränken. Deshalb wurde am 24. Juli die neue Zentralfront unter Generaloberst Fjodor I. Kusnezow gebildet, der die 4., 13. und 21. Armee der Westfront unterstellt wurden.

Nun konnte die Westfront sich auf ihre nach Ansicht der Stawka weiterhin wichtigste Aufgabe konzentrieren: die Zurückeroberung von Smolensk, mit der sie beginnen sollte, sobald sie die Verantwortung für den Beresina-Abschnitt abgegeben hatte. Deshalb ließ Timoschenko die 16. und 20. Armee am 23. Juli aus Roslawl und am 24./25. Juli aus den Räumen Bely und Jarzewo zum Angriff nach Westen antreten, als Bock eben seine Panzer zu einem Umfassungsangriff nach Osten vorstoßen ließ.

Am 27. Juli hatte die 16. Armee den Bahnhof Smolensk zurückerobert und kämpfte in den nördlichen Außenbezirken der Stadt, während die 20. Armee im Osten dicht vor Smolensk stand, aber inzwischen waren die beiden sowjetischen Armeen eingekesselt. Timoschenko befahl ihnen, kehrtzumachen und sich nach Osten freizukämpfen, aber das gelang großen Teilen nicht mehr, und obwohl keine der beiden Armeen ganz zerschlagen wurde, kehrten sie am 4. und 5. August mit stark geschwächter Kampfkraft zu den sowjetischen Linien zurück.

Unterdessen hatte sich eine Veränderung ergeben, die für die bedrängten sowjetischen Kommandeure eine Erleichterung bedeutet hätte, wenn sie davon gewußt hätten. In seiner Weisung Nr. 34 vom 30. Juli 1941 hatte Hitler der Heeresgruppe Mitte befohlen, den Vorstoß nach Moskau vorerst abzubrechen und zur Verteidigung überzugehen. Damit war die erste Phase der Schlacht bei Smolensk beendet. Die Rote Armee hatte gewaltige Verluste erlitten (über 300000 Mann waren in Kriegsgefangenschaft geraten, 3200 Panzer waren vernichtet worden), aber Hitlers Zweifel in bezug auf die relative Wichtigkeit der drei großen strategischen Ziele hatten durch die Schwierigkeiten, auf die der Vormarsch der Heeresgruppe Mitte stieß, neue Nahrung erhalten. Statt dessen sollte die Panzergruppe 3 mithelfen, eine Entscheidung im Raum Leningrad zu erkämpfen, während die Panzergruppe 2 zur Unterstützung der Heeresgruppe Süd eingesetzt werden sollte.

Das sowjetische Oberkommando ahnte davon nichts, und da es keinen Augenblick daran zweifelte, daß Moskau das Hauptangriffsziel der Deutschen sein müsse, vermutete es jetzt, nach dem erfolglosen Frontalangriff sei ein deutscher Umfassungsangriff aus Norden und Süden gegen die Hauptstadt zu erwarten. Deshalb wurde beschlossen, drei Armeen der Westfront die deutsche 9. Armee angreifen zu lassen, die den linken Flügel der Heeresgruppe Mitte bildete und deshalb die Ausgangsstellungen für den nördlichen Arm eines derartigen Umfassungsangriffs zu halten schien.

Um einem womöglich aus Süden drohenden Umfassungsangriff auf ähnliche Weise zuvorzukommen, wurde die „Front der Reserve-Armeen" in Reservefront umbenannt und am 30. Juli Schukow unterstellt, der den Auftrag erhielt, den in die sowjetische Westfront hineinragenden deutschen Brückenkopf Jelnja zu eliminieren. Um zu verhindern, daß ein deutscher Umfassungsangriff mit Ziel Moskau noch weiter südlich über Brjansk und entlang der wichtigen Straße und Bahnstrecke Kiew-Moskau geführt wurde, bildete die Stawka die Generalleutnant Andrej I. Jeremenko unterstellte Brjanskfront mit der 13. und 15. Armee. Diese Front existierte ab 14. August 1941.

Obwohl Hitlers Weisung Nr. 34 die vorläufige Einstellung des deutschen Vorstoßes nach Moskau bewirkte, hieß das keineswegs, daß damit sämtliche deutschen Angriffe im Mittelabschnitt zum Erliegen gekommen wären. Die der Heeresgruppe Süd zu gewährende Unterstützung erforderte unter anderem die Zerschlagung der sowjetischen Zentralfront, deren Aufgabe der Schutz der Nordflanke der sowjetischen Kräfte in der Ukraine war; außerdem sollte der vorgeschobene rechte Flügel der Zentralfront (die Stellungen der 21. Armee an dem Fluß Lowat), der die Nordflanke der Heeresgruppe Mitte bedrohte, zurückgedrängt werden.

Die deutschen und sowjetischen Offensiven begannen fast gleichzeitig in den ersten Augusttagen. Die 16., 24. und 30. Armee der sowjetischen Westfront griffen die deutsche 9. Armee drei Wochen lang mit sehr beschränktem Erfolg an. Die 9. Armee zog sich aufs Westufer des Flusses Wop zurück und verteidigte sich dort ohne größere Schwierigkeiten.

Die amtliche sowjetische Geschichtsschreibung rechtfertigt diese Operationen mit der Begründung, sie hätten die 9. Armee gefesselt und ihren Einsatz an anderer Stelle verhindert, aber das OKH hatte in Wirklichkeit nicht vor, diese Armee anderswo einzusetzen, und benötigte sie keineswegs dringend. Nur 20 Prozent der Heeresgruppe Mitte bestanden aus Schnellen Verbänden, und die 9. Armee gehörte zu den übrigen 80 Prozent: der gewöhnlichen Infanterie, die einen Großteil ihres Materials auf Pferdefuhrwerken transportierte, an denen in diesem Sommer kein Mangel bestand. Daraus ergibt sich zwangsläufig der Schluß, daß die sowjetische Offensive sehr wenig nützte, und diese Schlußfolgerung wird durch die geänderten Aufträge bestätigt, die Westfront, Reservefront und Brjanskfront am 25. August erhielten.

Am 22. August griffen die Deutschen mit starken Kräften an der Nahtstelle zwischen der 22. und der 29. Armee an, um die sowjetischen Verbände im Raum Welikije Luki und am Lowat einzukesseln. Schon am nächsten Tag war die Masse der 22. Armee eingekesselt; die Flucht nach Osten gelang ihr nur unter schweren Verlusten an Menschen und Material. Die 29. Armee schwenkte mit Rückendeckung durch ihre Nachbarn zurück, und der deutsche Angriff wurde schließlich am Oberlauf der Düna zum Stehen gebracht.

Die der Westfront, Brjanskfront und Reservefront am 25. August von der Stawka erteilten neuen Aufträge zielten weiterhin auf die Zurückeroberung von Smolensk ab; indem sie jedoch die Reservefront mit in diese Operation einbezog, gab sie indirekt zu, daß die bisher eingesetzten drei Armeen der Westfront für diese Aufgabe zu schwach gewesen waren. Die Westfront sollte weiterhin nordöstlich von Smolensk angreifen und im Zusammenwirken mit der Reservefront bis zum 8. September die Linie Welisch-Demidow-Smolensk erreichen. Die Reservefront sollte die beiden Armeen ihres linken Flügels einsetzen, um die Deutschen aus ihrem Frontvorsprung im Raum Jelnja zurückzudrängen, während ihre restlichen Armeen weiter ihre Stellungen entlang der Linie Ostaschkow-Kirow ausbauen sollten. Die Brjanskfront sollte am 2. September angreifen und südlich von Kritschew vorstoßen, um die in Smolensk stehenden Deutschen durch einen Umgehungsangriff zu bedrohen.

Das einzige dieser Unternehmen, das als erforderlich bezeichnet werden konnte, war Schukows Angriff auf den Brückenkopf Jelnja, denn obwohl die sowjetischen Angreifer hohe Verluste erlitten und die deutschen Verteidiger sich einer Einkesselung mit knapper Not entziehen konnten, wurde das Angriffsziel – die Beseitigung des Frontvorsprungs – erreicht, und die Deutschen hatten ebenfalls schwere Verluste. Guderian hatte so wenig Reserven, daß er einmal sogar seine Stabskompanie einsetzen mußte, und schlug am 13. August vor, den jetzt – wegen der vorläufigen Einstellung des Vorstoßes nach Moskau – zwecklosen Frontvorsprung zu räumen, weil er lediglich dauernde Verluste bringe. Sein Vorschlag wurde von Bock und dem OKH abgelehnt – aber am 5. September erhielt die 5. Armee dann trotzdem den Befehl, den Jelnja-Bogen zu räumen.

Nach dieser Räumung ließ sich die verkürzte deutsche Front leichter verteidigen. Schukow setzte seine Angriffe gegen sie noch einige Tage lang fort, aber am 12. September schickte Stalin ihn nach Leningrad, dessen Verteidigung vor dem völligen Zusammenbruch zu stehen schien. Die Westfront war am 10. September befehlsgemäß zur Verteidigung übergegangen, und die Reservefront erhielt diesen Befehl am 16. September. Auch im Süden bahnte sich eine Katastrophe an, so daß es ratsam war, im Mittelabschnitt mit den Kräften hauszuhalten.

Damit war die Schlacht bei Smolensk zu Ende. Die Rote Armee hatte schwere Verluste erlitten, aber das Ergebnis war nicht völlig unbefriedigend. Obwohl es nicht gelungen war, den deutschen Vormarsch aufzuhalten, war das Vormarschtempo, das in den ersten drei Wochen 25 bis 30 Kilometer pro Tag betragen hatte, im August auf höchstens sechs bis sieben Kilometer pro Tag gedrückt worden, und an einigen Punkten wie Welikije Luki und Jelnja hatten die Deutschen sich sogar zurückziehen müssen. Mit dem sinkenden Vormarschtempo waren die deutschen Verluste gestiegen – nicht dramatisch, aber auf neun Gefallene und 32 Verwundete pro Division und Tag. Das bedeutete, daß das deutsche Heer ein um 75 Prozent niedrigeres Vormarschtempo mit 50 Prozent höheren Verlusten bezahlen mußte. Und sein Hauptziel – die Vernichtung der Roten Armee westlich von Düna und Dnjepr – hatte sich als unerreichbar erwiesen.

Cannae am Dnjepr

Wie wir bereits festgestellt haben, hatten viele der ranghöchsten deutschen Generale – darunter Generalfeldmarschall Walter von Brauchitsch, der Oberbefehlshaber des Heeres, Generaloberst Franz Halder, der Chef des Generalstabs des Heeres, sowie Rundstedt selbst – sich gegen einen Rußlandfeldzug ausgesprochen, so daß Hitler es darauf angelegt hatte, eine rasche Entscheidung zu erzwingen, indem er die Masse der Roten Armee vernichtete, bevor sie hinter den Dnjepr zurückweichen konnte.

Dieser Entschluß zog große Schwierigkeiten nach sich. Er erforderte die rasche Einkesselung großer Truppenmassen, wobei die Gefahr bestand, daß der Einschließungsring größere Lücken aufwies, durch die wesentliche Teile der Roten Armee entkommen konnten. Die geforderten Umfassungsangriffe größten Ausmaßes ließen sich nur dann wirkungsvoll durchführen, wenn die Panzerkräfte zweier Heeresgruppen eingesetzt werden konnten. Andernfalls würden die Deutschen sich mit kleineren Einkreisungsmanövern zufriedengeben müssen, was jedoch bedeutet hätte, daß große Teile der Roten Armee ihre Bewegungsfreiheit behalten hätten. Da jedoch nur die Heeresgruppe Mitte zwei Panzergruppen besaß, war kein größerer Umfassungsangriff ohne ihre Mitwirkung möglich – außer an den äußersten Flügeln der deutschen Front, wo der Gegner gegen die Küste gedrängt werden konnte. Einkesselungen im Mittelabschnitt konnten wiederum von der Heeresgruppe Mitte vorgenommen werden, ohne daß sie dazu Unterstützung von ihren Nachbarn gebraucht hätte. Deshalb fiel der Heeresgruppe Mitte die Hauptrolle bei jeder Diskussion über strategische Ziele zu.

An der Ostfront boten sich drei besonders lohnende Ziele an: eines für jede Heeresgruppe. Für die Heeresgruppe Nord war das Ziel Leningrad, der Brutherd der Oktoberrevolution, durch die die Kommunisten 1917 an die Macht gekommen waren, die frühere Hauptstadt des Zarenreichs, die zweitgrößte Stadt der Sowjetunion, ein wichtiges Industriezentrum und der Hauptstützpunkt der Baltischen Flotte. Für die Heeresgruppe Mitte war es Moskau, die

Hauptstadt, ebenfalls ein wichtiges Industriezentrum, der Hauptknotenpunkt aller Straßen und Eisenbahnen im europäischen Rußland und nicht nur ein Heiligtum des Kommunismus, sondern auch „Mütterchen Rußlands“. Das Hauptziel der Heeresgruppe Süd war Kiew, die drittgrößte Stadt der UdSSR, selbst eine wichtige Industriestadt, aber auch der Schlüssel zu dem noch größeren Industriegebiet um Charkow, wo ein Großteil der sowjetischen Schwerindustrie, des Bergbaus und der Ölförderung konzentriert war. Wegen des weitmaschigen russischen Straßen- und Eisenbahnnetzes mußte auch das meiste Erdöl und Benzin aus dem Kaukasus auf dem Transport in andere Gebiete der Sowjetunion den Ostteil des Donezbeckens passieren.

Die drei Städte Leningrad, Moskau und Kiew waren also hochrangige politische und wirtschaftliche Ziele von so überragender Bedeutung für die Sowjetunion, daß keine von ihnen unverteidigt bleiben konnte. Ein Angriff gegen diese Ziele bewirkte ganz sicher, daß die Masse der Roten Armee zu ihrer Verteidigung eingesetzt wurde, und Stalin und die Stawka trugen mit dazu bei, der Roten Armee die Schlinge um den Hals zu legen, indem sie auf linearer Verteidigung und zwecklosen Frontalangriffen beharrten. Mit ihrem Verbot strategischer Rückzüge arbeiteten sie Hitler geradezu in die Hände, indem sie die Rote Armee in vorderster Linie festhielten.

Hitler begann bereits, die Ukraine für wichtiger als Moskau oder Leningrad zu halten, als er am 8. Juli 1941 feststellte, er habe jedenfalls vor, Moskau und Leningard dem Erdboden gleichzumachen – was seiner Ansicht nach durch Luftangriffe geschehen konnte. Die Panzergruppe 2 auf dem Südflügel der Heeresgruppe Mitte sollte vorläufig weiter nach Osten vorstoßen, um den Moskauer Abschnitt für den Fall abdecken zu können, daß Teile der Heeresgruppe Mitte später nach Süden eingedreht werden müßten. Auf diese Weise schob er die Entscheidung vorläufig weiter hinaus.

Am gleichen Tag legte Halder ihm einen höchst optimistischen nachrichtendienstlichen Bericht vor, in dem behauptet wurde, 89 der bekannten 164 sowjetischen Divisionen seien schon vernichtet, während die restlichen sich folgendermaßen verteilten: 18 standen an wichtigen Fronten, elf waren nicht mit Sicherheit festzustellen, und nur 46 galten noch als voll verwendungsfähig. Daraufhin machte Brauchitsch den bescheidenen Vorschlag, den bei Berditschew erzielten Erfolg auszunützen, indem Kleists Panzer nach Süden in den Rücken der sowjetischen 6. und 12. Armee vorstießen, um eine „kleine Entscheidung" herbeizuführen.

Hitler zog jedoch die Eroberung Kiews und einen Vormarsch entlang des Dnjepr-Westufers vor, um eine „große Entscheidung" herbeizuführen. Brauchitsch wandte ein, das sei wegen Nachschubschwierigkeiten unmöglich, und Hitler räumte ein, daß zunächst festgestellt werden müsse, wie stark der Gegner im Raum Kiew sei. Und dort lagen die Dinge vorläufig noch in den kundigen Händen Rundstedts, der Kleist nach Kasatin in Marsch setzte, das am 15. Juli erobert wurde. Dadurch wurde die einzige in Frontnähe quer verlaufende Bahnstrecke der sowjetischen Südwestfront unterbrochen, und Semjon M. Budjonni begann seinen Rückzug in den Dnjepr-Bogen.

Aber die lästige sowjetische 5. Armee stand nach wie vor bei Korosten, und ihre Existenz verdunkelte weiterhin das verlockende Bild, das Kiew, ukrainische Kohle, Industrie und Landwirtschaft boten. Irgend etwas mußte gegen sie unternommen werden, und das Problem wurde am 17. Juli bei Hitler angesprochen.

Daraus entstand die Führerweisung Nr. 33 vom 19. Juli 1941, die folgendes bestimmte:

„a) Südostfront:

Das wichtigste Ziel ist, die feindliche 12. und 6. Armee durch konzentrischen Angriff noch westlich des Dnjepr zu vernichten ...

Auch die feindliche 5. Armee wird am ehesten durch Zusammenwirken von Kräften des Südflügels der Heeresgruppe Mitte und des Nordflügels der Heeresgruppe Süd vernichtend geschlagen werden können.

...

b) Mitte der Ostfront:

Nach der Beseitigung der zahlreichen umschlossenen feindlichen Kampfgruppen und Sicherung der Versorgung wird der Heeresgruppe Mitte die Aufgabe zufallen, unter Fortsetzung des Vormarsches auf Moskau mit Infanterie-Verbänden, mit den nicht nach Südosten in den Rücken der Dnjepr-Linie angesetzten Schnellen Verbänden die Verbindungslinie Moskau-Leningrad zu durchschneiden und damit den Vorstoß der Heeresgruppe Nord auf Leningrad in der rechten Flanke zu decken.

c) Nordostfront:

Das Vorgehen in Richtung Leningrad ist erst fortzusetzen, wenn die 18. Armee den Anschluß an die Panzergruppe 4 erreicht hat und die tiefe Flanke durch die 16. Armee nach Osten zuverlässig abgedeckt ist ..."

Die Entscheidung, nur noch mit Infanterieverbänden in Richtung Moskau vorzurücken, war gleichbedeutend mit dem Verzicht auf größere Operationen gegen die sowjetischen Hauptkräfte in der Frontmitte. Der Zusammenbruch der benachbarten Fronten im Nordwesten und Südwesten würde die Sowjets zu weiteren Rückzügen zwingen, aber im Mittelabschnitt würde es zu keinen großen Kesselschlachten mehr kommen.

Zwei Tage später erschien Hitler bei seinem ersten Besuch an der Ostfront im Hauptquartier der Heeresgruppe Nord, wo er einige seiner Überlegungen erläuterte. Leningrad müsse möglichst schnell genommen werden, um Angriffe der sowjetischen Baltischen Flotte auf Eisenerztransporte aus Schweden nach Deutschland zu unterbinden. Deshalb werde die Panzergruppe 3 die Heeresgruppe Nord durch Unterbrechung der Bahnlinie Moskau-Leningrad unterstützen, um die Verlegung weiterer sowjetischer Truppen in dieses Gebiet zu erschweren; damit müsse begonnen werden, sobald die Panzergruppe 3 zur Verfügung stehe – also in etwa fünf Tagen. Hitler behauptete weiterhin, Moskau sei ihm gleichgültig: „Für mich ist Moskau nur ein geographischer Begriff." Wegen der allgemeinen Lage und der „Labilität des slawischen Charakters" könne der Fall Leningrad einen völligen Zusammenbruch des sowjetischen Widerstands auslösen.

Am 23. Juli kamen Hitler, Brauchitsch und Halder zu einer weiteren Besprechung zusammen, bei der Halder berichtete, dem deutschen Ostheer stünden jetzt 93 Divisionen der Roten Armee – darunter 13 Panzerdivisionen – gegenüber. Keiner der Anwesenden scheint sich zu der erstaunlichen Tatsache geäußert zu haben, daß die sowjetischen Kräfte sich in den 15 Tagen seit seinem letzten Bericht – 15 Tage energischer und erfolgreicher Operationen der Wehrmacht – nahezu verdoppelt zu haben schienen. Aber wie Halders Kriegstagebuch erkennen läßt, begann der erbitterte russische Widerstand Eindruck zu machen. Obwohl Hitler noch zwei Tage zuvor von einem möglicherweise bevorstehenden russischen Zusammenbruch gesprochen hatte, war jetzt eine gewisse Unsicherheit unüberhörbar. Halder berichtete, die Kampfstärke der deutschen Infanteriedivisionen betrage 80 Prozent ihrer Stärke am 22. Juni 1941, aber bei den Panzerdivisionen sei sie auf 50 Prozent gesunken, die Heeresgruppe Süd werde den Dnjepr bis Mitte August überschreiten, in Richtung Moskau sei mit stärkstem feindlichen Widerstand zu rechnen – und die Operationen der Heeresgruppe Nord seien offenbar ein Fehlschlag.

Hitler betonte dann, er sei dafür, den Gegner zu schlagen, wo man ihn antreffe, und äußerte zugleich die Auffassung, die Panzerverbände könnten erst später eingreifen, wenn die rückwärtigen Verbindungen nicht mehr sonderlich gefährdet seien. Brauchitschs Bedenken in bezug auf die ehrgeizigen Umfassungsangriffe hatten nun offenbar auch den Führer beeindruckt; nach einmonatigen Kämpfen zeigte sich, daß der Rußlandfeldzug sich vielleicht von den „Manövern im scharfen Schuß" der Jahre 1939 und 1940 unterscheiden würde.

An diesem 23. Juli erließ Hitler eine „Ergänzung zur Weisung Nr. 33", in der er zukünftige Aufgaben festlegte. Die Heeresgruppe Süd sollte „nach Gewinnung des Industriegebiets von Charkow über den Don nach Kaukasien" vorstoßen; „die Masse der Inf. Div. hat zunächst die Ukraine, Krim und das zentralrussische Gebiet bis zum Don zu besetzen ..." Brauchitsch protestierte gegen diese erweiterten Aufgaben mit dem Hinweis, daß sie im Hinblick auf die gegenwärtige Lage an dieser Front unlösbar seien. Er forderte, sie müßten bis zum Abschluß der laufenden Operationen zurückgestellt werden. Als das OKW sich weigerte, seinem Wunsch nachzukommen, wandte Brauchitsch sich in dieser Sache an den Führer.

Hitler weigerte sich zwar, nicht schon an die übernächste Schlacht zu denken, bevor die nächste gewonnen war, aber er nutzte diese Gelegenheit, um darzulegen, wie der Bewegungskrieg angesichts der bisher im Kampf gegen die Rote Armee gemachten Erfahrungen seiner Meinung nach auszusehen habe. Solange der Gegner energisch Widerstand leiste, gut geführt werde und Reserven für Gegenstöße besitze, sollten keine Operationen mit weitreichender Zielsetzung durchgeführt werden. Die Panzerverbände sollten sich auf kleine Einschließungsunternehmen beschränken und dadurch der Infanterie Gelegenheit geben, den Erfolg rasch zu sichern und die Panzerkräfte für neue Aufgaben freizusetzen.

Kurz gesagt: Während die Ziele unverändert großartig blieben, sollten die Mittel zum Zweck verkleinert werden. Aber während es zweifellos klug war, Halders alarmierende Meldung, daß die Kampfkraft der Panzerdivisionen in einem Monat auf 50 Prozent ihrer Anfangsstärke abgesunken sei, entsprechend zu berücksichtigen, hätte Hitler wohl auch die Zielsetzung entsprechend verkleinern müssen, um dem Vorwurf charakterlicher Labilität zu entgehen, den er erst vor kurzem den Slawen gemacht hatte.

Das OKH bat erneut um Überprüfung der der Heeresgruppe Mitte erteilten Aufträge, wobei es einräumte, daß es vielleicht ihm unbekannte, aber entscheidende wirtschaftliche Faktoren gebe. (Hitler behauptete häufig, seine Generale verstünden nichts von Wirtschaftsfragen, und nutzte ihre Unwissenheit aus, indem er wirtschaftliche Faktoren anführte, um militärische Entscheidungen zu begründen, mit denen sie nicht einverstanden gewesen waren.) Das OKH würde natürlich tun, was ihm befohlen wurde, aber es hatte größte Bedenken wegen der möglicherweise drohenden Konsequenzen.

Die Sowjets legten es offensichtlich darauf an, bis zum Winter durchzuhalten, und falls ihnen das gelang, mußte Deutschland im kommenden Frühjahr gegen weitere neue Armeen kämpfen und konnte in den Zweifrontenkrieg verwickelt werden, den es zu vermeiden gehofft hatte. Als besten Ausweg empfahl das OKH einen Angriff auf Moskau. Dort würden die Sowjets sich zum Kampf stellen müssen, so daß keine Gefahr bestand, daß ihre Armeen erneut auswichen. Und wenn die Deutschen die Schlacht gewannen, besaßen sie die Hauptstadt, das bedeutende Industriezentrum und den größten Eisenbahnknotenpunkt. Damit war Rußland zweigeteilt. Ein so wichtiges Ziel mußte den Vorrang gegenüber kleineren Unternehmen haben, durch die Teile der Roten Armee vernichtet werden sollten.

Die Denkschrift war bei aller Höflichkeit im Ton fest und in ihrer Argumentation schlüssig. General Alfred Jodl versuchte sogar, ihre Schlußfolgerungen durch die Feststellung zu untermauern, daß ein Angriff auf Moskau, das der Russe um jeden Preis verteidigen werde, lediglich die Verwirklichung einer Forderung des Führers darstelle, die „Lebenskraft" des Feindes zu zerstören, wo immer sich Gelegenheit dazu biete.

Aber die Denkschrift wurde niemals überreicht. Noch während das deutsche Oberkommando darüber diskutierte, ob es gelingen werde, den russischen Bären in den nächsten zwei Monaten zu erlegen, oder ob es sich damit zufriedengeben müsse, ihn nahezu kampfunfähig zu machen, ließ Marschall Timoschenko mehrere neu aufgestellte Armeen im Mittelabschnitt zu einer Gegenoffensive antreten, um zu versuchen, die bei Smolensk in einem großen Kessel festsitzenden sowjetischen Kräfte zu entsetzen. Alle Gedanken an Moskau, Kiew und Leningrad mußten zunächst beiseitegeschoben werden; statt dessen galt es rasch zu improvisieren.

Die russischen Angriffe erreichten ihr unmittelbares Ziel nicht: Es gelang ihnen nicht, der Heeresgruppe Mitte die Initiative zu entreißen und die eingekesselte sowjetische 16. und 20. Armee zu befreien. Die Russen traten schlecht vorbereitet an, und es gab noch immer zu viele vergebliche Frontalangriffe, bei denen neue Einheiten einzeln eingesetzt wurden – vermutlich weil Timoschenko nicht erkannte, wie weit auseinandergezogen die deutschen Truppen bereits kämpften, so daß er die Moskau unmittelbar drohende Gefahr überschätzte. Allein der sowjetische Angriffswille und das Auftauchen zahlreicher neuer Einheiten verstärkten jedoch die Meinungsverschiedenheiten in der deutschen Führungsspitze und bewirkten eine weitere Verzettelung der deutschen Kräfte.

Das erste Ergebnis dieser hastigen russischen Gegenoffensive war eine Besprechung der Armeeoberbefehlshaber der deutschen Heeresgruppe Mitte am 27. Juli 1941 in Nowy Borisow. Guderian rechnete bei seiner Ankunft damit, den Befehl zu erhalten, nach Moskau – oder wenigstens bis nach Brjansk – vorzustoßen; statt dessen erwartete ihn ein schriftlicher Befehl Brauchitschs, der beide Möglichkeiten ausdrücklich ausschloß und die Vernichtung der russischen Kräfte „im Raum Gomel", wo die sowjetische 5. Armee stand, als vordringlichste Aufgabe bezeichnete.

Guderian war wie vor den Kopf geschlagen. Er konnte nicht glauben, daß er – der Mann, dessen theoretischer und praktischer Arbeit Deutschland die Truppen verdankte, mit denen er dann den größten Teil Europas erobert hatte – kehrtmachen, in Richtung Heimat „vorstoßen" und feindliche Verbände zerschlagen sollte, die von der eigenen Infanterie hätten niedergekämpft werden müssen. Brauchitschs Befehl war natürlich nur ein Ausfluß der im Zusammenhang mit Diskussionen über die Weisung Nr. 33 geäußerten Bedenken Hitlers gegen allzu ehrgeizige Umfassungsbewegungen, aber davon wußte Guderian nichts, weil er seine Informationen lediglich aus Gesprächen mit anderen Offizieren im Oberkommando der Heeresgruppe bezog.

Am wenigsten von seinen Panzervorstößen begeistert war dort Generalfeldmarschall Günther Hans von Kluge, dem Oberbefehlshaber der 4. Armee, dem Guderian zu seinem Unbehagen und nur mit Widerstreben unterstellt war. Deshalb ist es wenig wahrscheinlich, daß Guderian den ganzen Umfang der Debatte oder sämtliche mit hineinspielenden Faktoren erkannte. Er verließ die Besprechung mit dem Gefühl verwundeten Stolzes, an dem auch das Trostpflaster, daß die Panzergruppe 2 in „Armeegruppe Guderian" umbenannt und dem Oberbefehlshaber der Heeresgruppe Mitte direkt unterstellt wurde, nicht viel ändern konnte.

Guderian nutzte seine neugewonnene Freiheit von den ihm bisher von Kluge – einem listigen, im Heer als „Kluger Hans" bekannten Vorgesetzten, der es nicht verstand, sich die Loyalität seiner Offiziere zu sichern – auferlegten Beschränkungen, um die in Nowy Borisow erhaltenen Anweisungen zu verdrehen und bewußt falsch auszulegen. Seiner Überzeugung nach drohte der Heeresgruppe Mitte die Hauptgefahr nicht von der russischen 5. Armee weit in ihrem Rücken, sondern von den an seiner rechten Flanke nördlich von Roslawl zusammengezogenen Feindkräften. Auf dieser Überzeugung beharrte Guderian „ohne Rücksicht auf irgendwelche Entscheidungen, die Hitler jetzt vielleicht treffen wird."

Diese von Guderian ausgemachte Bedrohung bestand aus einer von der Stawka als „Kräftegruppe der 28. Armee" bezeichneten Kampfgruppe unter Befehl von Generalleutnant W. J. Katschalow, die zur Freikämpfung der im Kessel Smolensk eingeschlossenen Truppen aufgestellt worden war. Guderian schlug Bock die Eroberung von Roslawl mit der Begründung vor, dadurch würden nach Osten, Süden und Südwesten führende Straßen besetzt, was

weitere Offensivmöglichkeiten eröffne, und bekam für dieses Unternehmen die vier Divisionen des VII. Armeekorps als Verstärkung unterstellt. Als Ersatz für die aus dem Jelnja-Bogen herausgezogenen Panzerdivisionen, die gegen Roslawl eingesetzt werden sollten, war das XX. Armeekorps (zwei Divisionen) vorgesehen. Außerdem wurde Guderian eine Kavalleriedivision unterstellt.

Die Angriffsvorbereitungen dauerten mehrere Tage, an denen Guderian mehrfach Besuch erhielt. Am 29. Juli traf Oberst d. G. Rudolf Schmundt, der Chefadjutant des Führers, bei ihm ein – offiziell, um Guderian das Eichenlaub zum Ritterkreuz zu überreichen, aber in Wirklichkeit, um mit ihm über seine Absichten zu sprechen. Schmundt ließ erkennen, daß Hitler noch keine Entscheidung zwischen Leningrad, Moskau und der Ukraine getroffen habe. Ob der Chefadjutant sich damit sehr diskret oder sehr dumm geäußert hatte, läßt sich nachträglich nicht mehr feststellen. Jedenfalls hatte Hitler in Wirklichkeit seit einiger Zeit sein Desinteresse an Moskau bekundet und erteilte schon am Tag darauf die Weisung Nr. 34, mit der er der Heeresgruppe Mitte befahl, ihren Vormarsch auf die russische Hauptstadt einzustellen und zur Verteidigung überzugehen.

Guderian nutzte diese Gelegenheit, um auf einen direkten Vorstoß nach Moskau zu drängen, und forderte zugleich neue Panzer und Panzermotoren an. Am 31. Juli besuchte ihn Major von Bredow, der OKH-Verbindungsoffizier, und teilte ihm mit, das OKH und der Chef des Generalstabs stünden vor einer undankbaren Aufgabe, da über die Durchführung aller Operationen an höchster Stelle entschieden werde. Bredow fügte hinzu, endgültige Entscheidungen über die zukünftigen Operationsziele im Osten seien noch nicht gefallen. Das Ganze war eine kaum verhüllte Beschwerde über Einmischungen Hitlers und eine stillschweigende Aufforderung Guderians durch das OKH, die noch zu treffenden Entscheidungen durch eigenes Handeln zu beeinflussen.

Der Angriff auf Roslawl begann am 1. August 1941. Am 3. August befand die Stadt sich mit 38 000 Gefangenen und 200 erbeuteten Geschützen in deutscher Hand, und am 8. August hatte jeglicher Widerstand aufgehört. Das war ein glänzender, schneller Sieg gewesen, aber allein die Leichtigkeit, mit der er errungen worden war, und die geringe Zahl der Beutegeschütze hätten Guderian beweisen müssen, daß er sich getäuscht hatte. Dies war keine Kräftegruppe gewesen, die der Heeresgruppe Mitte wirklich hätte gefährlich werden können. Statt dessen handelte es sich um eine hastig zusammengekratzte Kampfgruppe aus nicht mehr als drei Divisionen mit Unterstützungselementen – nach Ostfrontmaßstäben eher klein –, aber weder Guderian noch irgendein anderer deutscher General hat sich später zu diesem Aspekt des Angriffs gegen Roslawl geäußert.

Seidem die Entscheidung zur Vernichtung der russischen 5. Armee getroffen worden war, waren jetzt elf Tage vergangen, ohne daß etwas in dieser Beziehung unternommen worden wäre. Selbst die Beendigung der Schlacht bei Smolensk am 5. August – in der die sowjetische 16. Armee, und das XXIII. Mechanisierte Korps sowie Teile der 19. und 20. Armee vernichtet, 300 000 Gefangene gemacht und 3200 Panzer sowie 3100 Geschütze erbeutet wurden – konnte dieses Versäumnis nicht wettmachen. Das Unternehmen gegen Roslawl hatte auch nicht dazu beigetragen, der Heeresgruppe Mitte die Durchführung ihrer Aufgaben zu erleichtern. Es hatte lediglich sichergestellt, daß ein Angriff auf Moskau weiterhin möglich war, weil die Panzergruppe 2 vorn eingesetzt blieb. Was sich daraus für den Kampf um die Ukraine „westlich des Dnjepr" ergab, bleibt noch zu erörtern.

Am 24. Juli 1941 hatte Hitler die Liquidierung des Kessels Uman befohlen. Obwohl Generalfeldmarschall Ewald von Kleist ursprünglich ehrgeizigere Ziele verfolgt hatte – er hatte Kiew mit einem Korps einschließen wollen, während seine beiden anderen Korps in den Rücken der russischen Südwest- und Südfront vorstoßen sollten – führte er diesen Befehl offenbar widerspruchslos aus. Am 30. Juli stieß die Panzergruppe 1 tief in die Kolonnen der aus dem Kessel zurückgehenden sowjetischen Truppen vor, schwenkte nach Südwesten ein und stellte am 3. August bei Perwomaisk die Verbindung mit den Spitzen von Generaloberst Karl Heinrich von Stülpnagels 17. Armee her. Dadurch wurden die russische 6. und 12. Armee sowie Teile der 18. Armee eingekesselt: insgesamt 15 Infanterie- und fünf Panzerdivisionen. Obwohl es einigen sowjetischen Verbänden gelang, sich aus dem Kessel freizukämpfen, hörte der letzte Widerstand am 8. August auf. Zu den rund 100 000 Gefangenen gehörten die Oberbefehlshaber der eingekesselten Armeen, Generalleutnant I. N. Musytschenko und General P. G. Ponedelin; an Material erbeuteten die Deutschen 317 Panzer und 1100 Geschütze.

Im Süden der Front, wo die Hauptlast der Kämpfe auf der rumänischen 3. und 4. Armee lag, bewegte sich zunächst nicht viel, aber der Abzug sowjetischer Verbände in den Kessel Uman bewirkte eine gefährliche Schwächung der russischen Südfront, und am 5. August war Odessa eingeschlossen und nur noch auf dem Seeweg erreichbar. Die Lage im Süden drohte für die Rote Armee kritisch zu werden, so daß Reserven dorthin in Marsch gesetzt wurden.

Aber die Stawka hatte bereits aus ihren früheren Fehlern gelernt. Diesmal wurde nicht mit unzulänglich ausgebildeten Divisionen „gekleckert“. Die neuen Divisionen (zehn für die Südwestfront, zwölf für die Südfront und zwei für die Reservefront) wurden vor allem für den Bau einer Verteidigungslinie am Dnjepr-Ostufer und die Demontage von Fabrikanlagen eingesetzt, die im Osten wiederaufgebaut werden oder jedenfalls nicht für die Deutschen arbeiten sollten.

Was die Rote Armee selbst betraf, durfte es nicht mehr passieren, daß eingeschlossene Verbände sich in Massen ergaben, und das Oberkommando unternahm Schritte, um dafür zu sorgen, daß die Soldaten entsprechend belehrt und indoktriniert wurden.

Hitler hatte unterdessen erneut Schwierigkeiten mit seinen Generalen, vor allem mit denen der Heeresgruppe Mitte, auf die Moskau weiterhin eine fatale Anziehungskraft auszuüben schien. Er traf am 4. August zu einer etwas merkwürdigen „Besprechung“ in Nowy Borisow ein: Um nicht gegen die Solidarität der Berufsoffiziere ankämpfen zu müssen, sprach er einzeln mit den Armeeoberbefehlshabern – zuerst mit Oberst Adolf Heusinger, Halders Verbindungsoffizier, danach mit Bock, Guderian und Hoth.

Obwohl alle zum Vormarsch auf Moskau drängten, behauptete nur Bock, sofort angriffsbereit zu sein, während seine beiden Panzerführer zugaben, daß ein Antreten aus dem Stand unmöglich sei. Guderian konnte erst am 15. August antreten, und Hoth benötigte sogar weitere fünf Tage. Beide Generale verlangten dringend neue Panzermotoren, worauf Hitler ihnen widerstrebend 300 Stück für die gesamte Ostfront zusagte. Guderian bezeichnete diese Zahl zu

Recht als völlig unzureichend, aber Hitler war zu keiner Erhöhung seiner Zusage zu bewegen; er weigerte sich auch, der Ostfront neue Panzer zuführen zu lassen – weil sie für Neuaufstellungen von Panzerdivisionen in der Heimat gebraucht würden. Guderian unterstrich nochmals die Notwendigkeit, die Panzerverluste wettzumachen, da die Rote Armee trotz ihrer Verluste weiterhin eine zahlenmäßige Panzerüberlegenheit besitze. Daraufhin stellte Hitler fest – was angesichts seiner Weigerung, der Ostfront zusätzliche Panzer zuführen zu lassen, eigenartig genug war –, wenn er die 1937 von Guderian geschätzten sowjetischen Panzerstärken geglaubt hätte, hätte er diesen Krieg nicht begonnen.

Guderian verließ Nowy Borisow mit dem Vorsatz, die Vorbereitungen für einen Angriff auf Moskau unabhängig von Hitlers sonstigen Absichten voranzutreiben; Hitler kehrte ins Führerhauptquartier im ostpreußischen Rastenburg zurück, ohne sich über seine Unbeliebtheit bei der Heeresgruppe Mitte im unklaren zu sein. Seine Guderian gegenüber gemachte Bemerkung über die Panzerstärke der Roten Armee zeigte, daß ihn trotz der bis dahin erkämpften Siege Zweifel an einem deutschen Endsieg im Osten beschlichen. Auch viele seiner Generale fanden den fortdauernden erbitterten Widerstand der Roten Armee beunruhigend, während ihre Soldaten, wie viele Feldpostbriefe zeigten, die scheinbar endlose Weite des russischen Raums und die Tatsache beunruhigend fanden, daß der Gegner trotz hoher Verluste noch ebenso zahlreich und kampfstark wie zuvor zu sein schien.

Nun kam es darauf an, wer die besseren Nerven hatte. Das OKH war unzufrieden, aber weiterhin gehorsam; die wie hypnotisiert auf Moskau starrende Heeresgruppe Mitte verstieß offen gegen Anweisungen aus dem OKH; Guderian bemühte sich hartnäckig, seine Panzer in Stellungen zu behalten, von denen aus sie den Vormarsch nach Osten fortsetzen konnten. Aber zur gleichen Zeit war die Masse der Panzergruppe 3 dabei, die befohlene Umgliederung vorzunehmen, um die Heeresgruppe Nord bei ihrem Vorstoß nach Leningrad unterstützen zu können. General Hermann Hoth, ihr Oberbefehlshaber, schien zu diesem Zeitpunkt der einzige General der Heeresgruppe Mitte zu sein, der sich noch bemühte, ihm erteilte Befehle nach besten Kräften auszuführen.

Das Endergebnis war eine Kräftezersplitterung, die verhinderte, daß überhaupt eines der angestrebten Ziele erreicht wurde. Während Guderian alle möglichen Gründe vorschob, um nicht nach Gomel zurückgehen und die russische 5. Armee niederkämpfen zu müssen, und unannehmbare Pläne zur Einnahme Moskaus vorlegte, blieb der Angriff der Heeresgruppe Süd erneut vor Kiew liegen. Generaloberst Walter von Reichenau, der Oberbefehlshaber der deutschen 6. Armee, stellte fest, zwischen ihm und der zur Heeresgruppe Mitte gehörenden 2. Armee klaffte eine 250 Kilometer breite Lücke. Rund 100 Kilometer davon wurden von einer einzigen Division – der 56. Infanteriedivision – gehalten, der mehrere Divisionen der russischen 5. Armee gegenüberstanden. Reichenau hatte den Auftrag, zu einem Direktangriff auf Kiew anzutreten, aber er legte angesichts dieser Bedrohung in seinem Rücken Widerspruch bei Rundstedt ein, der am 9. August die Offensive im Raum Kiew-Korosten abblies. Die 6. Armee blieb in der Defensive, ohne ihr Hauptziel – Kiew – erreicht zu haben.

Eine am Abend des nächsten Tages im OKW vorgenommene Lagebeurteilung ließ erkennen, daß sich ein unbefriedigender Kompromiß abzeichnete, der die „Moskau-Fraktion" beschwichtigen sollte, ohne ihr jedoch nachzugeben. Man war sich darüber einig, daß die Masse der Roten Armee vor der Heeresgruppe Mitte stehe und daß es vor allem darauf ankomme, sie zu vernichten und Moskau zu erobern; andererseits stellten die feindlichen Kräfte vor den beiden anderen Heeresgruppen jedoch eine Gefahr für die Flanken der Heeresgruppe Mitte dar. Deshalb mußten dem entscheidenden Angriff gegen Moskau Operationen mit begrenzter Zielsetzung gegen die Feindkräfte im Norden und Süden vorausgehen.

Unter der Annahme, daß die Vernichtung dieser Kräfte zwei Wochen in Anspruch nehmen würde, konnte eine Generaloffensive in Richtung Moskau mit Infanteriearmee in der Mitte und je einer Panzergruppe an den Flanken Ende August beginnen. Der Gegner sollte entlang einer nicht vollständig ausgebauten Verteidigungslinie, die etwa von Rschew über Wjasma nach Brjansk führte, gestellt und mit seinen neuen, nur zum Teil ausgebildeten Divisionen zum Kampf gezwungen werden. Falls dieser Plan angenommen wurde, würden die Heeresgruppen Nord und Süd mit ihren

Gegnern vorerst selbst fertig werden müssen, ohne Unterstützung von der Heeresgruppe Mitte zu erhalten – allerdings mit der Gewißheit, von dort unterstützt zu werden, sobald die Heeresgruppe Mitte die russischen Linien durchstoßen und mit der Verfolgung begonnen hatte.

Was die Heeresgruppe Süd betraf, hatte ihre 17. Armee im Augenblick keinen speziellen Auftrag zu erfüllen und sollte dazu eingesetzt werden, den Dnjepr zwischen Kiew und Krementschug zu überschreiten und die östlich davon festgestellten größeren russischen Truppenansammlungen zu zerschlagen. Sobald der Dnjepr bezwungen war, sollten Teile der Heeresgruppe Süd nach Norden einschwenken, um in den Rücken der sowjetischen 5. Armee zu gelangen und sie endgültig auszuschalten.

Am 12. August 1941 unterstrich Hitler erneut, die Voraussetzung für alle zukünftigen Unternehmen sei die Vernichtung feindlicher Kräfte an den Flanken, vor allem an der rechten Flanke der Heeresgruppe Mitte – also der russischen Südwestfront. Am gleichen Tag wandten Budjonni und Nikita S. Chruschtschow sich schriftlich an Stalin, um ihr Unbehagen auszudrücken. Ihnen war aufgefallen, daß die deutsche 2. Armee und Guderians Panzer in Richtung Gomel und Starodub vorrückten, woraus sie auf die Absicht schlossen, hinter der Südwestfront vorbeizustoßen und sie abzuschneiden.

Das sowjetische Oberkommando war jedoch ebenso von Moskau hypnotisiert wie die Heeresgruppe Mitte. Die Stawka vermutete, der deutsche Vorstoß, der Budjonni und Chruschtschow Sorgen machte, solle durch die große Lücke führen, die zwischen der Reservefront und der Zentralfront entstanden war, und daß die Deutschen nach Osten abdrehen, bei Brjansk durchbrechen und Moskau aus Süden umgehen würden. Budjonni hatte um Erlaubnis gebeten, die 5. Armee und das XXVII. Selbständige Korps aus dem Befestigungsbereich Korosten abziehen zu dürfen, um nördlich davon eine Front mit ihnen aufbauen und dadurch den deutschen Vorstoß in den Rücken seiner Südwestfront aufhalten zu können. Die Stawka verweigerte ihm jedoch die Erlaubnis dazu und ordnete statt dessen die Bildung der Brjanskfront an, die zunächst nur den Auftrag hatte, die Lücke zwischen der Zentralfront und der Reservefront zu schließen und einen deutschen Durchbruch nach Moskau zu verhindern.

Unter Berücksichtigung der damals zur Verfügung stehenden Informationen war diese Entscheidung des sowjetischen Oberkommandos vernünftig: Wie wir bereits gesehen haben, versuchte Guderian bis zuletzt, sich die Option eines Angriffs auf Moskau offenzuhalten, und Hitler hatte diese Möglichkeit noch keineswegs ganz ausgeschlossen. Außerdem behinderte die russische 5. Armee tatsächlich den Vormarsch der Heeresgruppe Süd nach Kiew allein durch ihre Existenz im Rücken der Angreifer. Ihre von Budjonni vorgeschlagene Zurücknahme hinter die Desna hätte die Deutschen von einem ihrer lästigsten Probleme befreit – und allein das war Grund genug, sie dort zu belassen. Aber diese scheinbar vernünftige Entscheidung sollte sich als katastrophaler Fehler erweisen, denn die Deutschen wurden sich endlich darüber einig, was unternommen werden sollte. Und die Vermutung der Stawka – daß Moskau das nächste Angriffsziel sein würde – war falsch.

Am 15. August 1941 verzichtete Hitler darauf, so zu tun, als könnte die Heeresgruppe Mitte ihre Offensive in Richtung Moskau allein mit Infanterie fortsetzen, und befahl die völlige Einstellung ihres Vormarschs. Statt dessen sollte sie zu einer Form der Verteidigung übergehen, die eine Einkesselung durch russische Kräfte unmöglich machte, ohne größere Luftunterstützung durchgehalten werden konnte und die Kräfte der eigenen Infanterie möglichst schonte.

Drei Tage später plädierte Brauchitsch zum letztenmal verzweifelt für einen Angriff gegen Moskau. Er wies darauf hin, daß der Wintereinbruch im Raum Moskau Mitte Oktober – fünf Wochen früher als in der Ukraine – zu erwarten sei, und argumentierte damit, daß eine Konzentration auf Moskau die Eroberung der Hauptstadt vor Wintereinbruch ermögliche, wodurch Kräfte frei würden, die im Süden, wo die Feldzugssaison länger sei, eingesetzt werden könnten.

In seiner Antwort wies Hitler Brauchitschs Argumente rundweg zurück und erläuterte seine eigenen Ansichten. Er wiederholte seine Behauptung, die der Infanterie vorausstürmenden und allzu selbständig operierenden Panzerkolonnen hätten nur teilweise Umfassungsoperationen zustandegebracht, bei denen großen Teilen der feindlichen Truppen der Ausbruch gelungen sei. Seine Zurückweisung der OKW-Vorschläge für ein Unternehmen gegen

Moskau erfolgte in Form einer am 21. August erteilten Weisung ohne Nummer, in der Hitler klar und unmißverständlich die vor Wintereinbruch zu erreichenden Ziele festlegte. Die Eroberung Moskaus vor Winterbeginn gehörte danach nicht zu den Hauptzielen. Vielmehr kam es darauf an, im Süden die Krim und das Industrie- und Kohlerevier des Donezbeckens zu besetzen und die russischen Transportrouten für Kaukasusöl zu unterbrechen; im Norden galt es, Leningrad einzuschließen und Verbindung mit den Finnen aufzunehmen.

Die Heeresgruppe Mitte sollte im Zusammenwirken mit der Heeresgruppe Süd zu einem Umfassungsangriff gegen die russische 5. Armee antreten, um sie nicht nur hinter den Dnjepr zurückzudrängen (wie es der Fall gewesen wäre, wenn allein die deutsche 6. Armee angegriffen hätte), sondern um sie zu zerschlagen, um der Heeresgruppe Süd für ihre weiteren Operationen jenseits des Dnjepr und im Donezbecken den Rücken freizuhalten. Die Eroberung der Krim war zum Schutz der rumänischen Ölförderung dringend notwendig, weil sowjetische Bomber die Ölfelder von Ploiesti von ihren Flugplätzen auf der Krim aus angreifen konnten.

Damit war die Entscheidung über das weitere Vorgehen gefallen. Der Gedanke an eine Eroberung Leningrads wurde in aller Stille zu den Akten gelegt, und ein Vorstoß nach Moskau kam vorerst nicht in Frage. Die russische 5. Armee sollte endgültig vernichtet werden, und der deutsche Hauptangriff würde in der Ukraine erfolgen. Das war eindeutig.

Trotzdem wurde noch ein letzter Versuch gemacht, das Unternehmen gegen Moskau am Leben zu erhalten. Am 23. August fand bei der Heeresgruppe Mitte eine Besprechung statt, bei der Halder die Einzelheiten der Führerweisung erläuterte. Danach entwickelte sich eine lange Diskussion darüber, wie der Führer von seinem Entschluß abgebracht werden könne, und die Generale einigten sich schließlich darauf, daß Guderian mit Halder ins Führerhauptquartier zurückfliegen solle. Die beiden flogen nachmittags ab und landeten in der Abenddämmerung auf dem Flugplatz Lötzen (dem der Wolfsschanze nächsten Flugplatz).

Guderian meldete sich sofort bei Brauchitsch, der ihm kategorisch verbot, die Frage eines Angriffs auf Moskau erneut bei Hitler anzuschneiden. Aber Guderian war jetzt nicht mehr zu bremsen und verstand es, das Gespräch im Rahmen seines Berichts über seine Panzergruppe so auf das heikle Thema zu bringen, daß Hitler es selbst anschnitt. Der Panzergeneral wiederholte sämtliche Argumente, die für einen Angriff auf die russische Hauptstadt sprachen, und fügte hinzu, die Truppe rechne damit und sei dazu bereit. Die Heeresgruppe Mitte stehe angriffsbereit, und ein weiter Umweg nach Süden bringe nur zusätzlichen Verschleiß sowie großen Zeitverlust.

Hitler ließ ihn ausreden, ohne einzelne Behauptungen anzuzweifeln, obwohl Guderians Aussage, die Heeresgruppe Mitte stehe zum Angriff auf Moskau bereit, besonders zweifelhaft war, weil bei beiden Panzergruppen Mangel an Fahrzeugen und Motoren herrschte und keine von ihnen entsprechend aufgestellt war. Hoths Panzer standen im Norden, um die Heeresgruppe Nord zu unterstützen, und Guderians waren zum Teil zu einem nach Süden ausholenden Umgehungsangriff um Starodub eingesetzt. Hitler ließ sich jedenfalls nicht umstimmen: Die Moskauer Offensive kam auf keinen Fall in Frage, bevor die Operationen im Süden nicht erfolgreich abgeschlossen war.

Guderian fand sich ins Unvermeidliche und schlug vor, nicht nur einen Teil seiner Panzergruppe, sondern die gesamte Gruppe im Süden einzusetzen, um dort garantiert zum Erfolg zu kommen. Hitler war einverstanden, und Guderian kehrte sofort zur Heeresgruppe Mitte zurück. Am nächsten Morgen teilte er Halder die unangenehmen Neuigkeiten mit, woraus sich eine lautstark geführte Auseinandersetzung entwickelte. Aber nun gab es kein Zurück mehr: Das Angriffsziel hieß Kiew.

Der Militärrat der sowjetischen Südwestfront war – wie bereits oben festgestellt – schon am 12. August unruhig geworden. Am 18. August konstatierte General Schukow, der Oberbefehlshaber der Reservefront vor Moskau, daß die deutsche Angriffstätigkeit vor seiner Front nachgelassen hatte. Nachdem er erfahren hatte, daß dies auch im Bereich der benachbarten Zentralfront der Fall war, überlegte er, was das zu bedeuten haben könnte. Er versuchte, eine sich im Fluß befindende Situation zu analysieren, und besaß nicht genügend Informationen. Trotzdem gelangte er zu dem Schluß, daß die Deutschen möglicherweise ihre Kräfte für einen Vorstoß nach Süden an Kiew vorbei in den Rücken der Südwest-

front umgliederten. Das teilte Schukow der Stawka am 18. August schriftlich mit und schlug zugleich vor, im Raum Brjansk eine starke Kräftegruppe zusammenzuziehen, um Guderian in die Flanke fallen zu können, wenn er nach Süden vorstieß.

In ihrer Antwort stimmte die Stawka Schukows Lagebeurteilung zu und behauptete, sie habe diese Gefahr bereits vorausgesehen und deshalb vor einigen Tagen die Brjanskfront aufgestellt. Ob das der Wahrheit entsprach, ist allerdings zweifelhaft. Generaloberst Jeremenko, der Frontoberbefehlshaber, behauptete später, er habe Befehl gehabt, einen deutschen Durchbruch in Richtung Moskau zu verhindern, und das kann ohne weiteres sein ursprünglicher Kampfauftrag gewesen sein.

Am 19. August genehmigte die Stawka verspätet Budjonnis Ersuchen, mit seinen Truppen hinter den Dnjepr zurückgehen zu dürfen, und befahl lediglich, daß die 37. Armee Kiew zu halten habe. Die zurückgenommenen Kräfte (die 5. Armee und die aus Teilen zerschlagener Armeen gebildete neue 40. Armee) sollten im Norden eine Verteidigungslinie bilden und Tschernigow, Konotop und Charkow halten. Bisher lief alles in die richtige Richtung: Die deutschen Absichten waren erkannt, noch bevor sie in die Tat umgesetzt werden konnten, und sowjetische Kräfte standen bereit, um Guderian frontal und an seiner linken Flanke anzugreifen. Aber das bedeutete zugleich, daß Budjonni nichts mehr zuzusetzen hatte; seine Truppen waren angeschlagen und abgekämpft, und er besaß keine Reserven mehr für die Südwestfront. Nun hing alles von Jeremenko ab.

Am 24. August telefonierte Stalin mit Jeremenko und bot ihm zwei weitere Panzerbrigaden, mehrere Panzerbataillone, einige Raketenwerferbatterien und mehrer Fliegerregimenter an – „wenn Sie versprechen, diesen Halunken Guderian zu schlagen". Außerdem bot er ihm die aus Teilen der 3. und 21. Armee der Zentralfront aufgestellte 21. Armee an, die Jeremenko ebenfalls akzeptierte. Dann kam Marschall Schaposchnikow, der Chef des Generalstabs, an den Apparat und wiederholte die Vermutung, Guderian könnte rechtwinklig eindrehen und nördlich von Brjansk vorbei nach Moskau vorstoßen. Dadurch brachte der Marschall eine fatale Mehrdeutigkeit in Jeremenkos Auftrag, indem er die Möglichkeit suggerierte, die Brjanskfront könnte umgangen werden, ohne ihre eigentliche oder die zweitwichtigste Aufgabe erfüllt zu haben. Um auf beide Möglichkeiten vorbereitet zu sein, hielt Jeremenko seinen stärksten Verband – die 5. Armee – zum Schutz der Route nach Moskau zurück, und Schaposchnikows ängstliche Ermahnungen gefährdeten den Erfolg der Gegenoffensive schon eine Woche vor ihrem Beginn.

Trotzdem standen Jeremenko für seinen Vorstoß nach Westen sehr beträchtliche Kräfte zur Verfügung. Da ihm die Verbände der am 25. August aufgelösten Zentralfront unterstellt worden waren, verfügte er über zwei Armeen (13. und 21. Armee) sowie die gesamte Flugzeugreserve des Oberkommandos und die Fliegerkräfte der Zentralfront sowie der Reservefront, die seine eigenen fliegenden Verbände ergänzten. Aber die Rote Luftwaffe war als Folge ihrer früheren Verluste so geschwächt, daß Jeremenko trotzdem nur 464 Flugzeuge, von denen die Hälfte Bomber waren, zur Verfügung hatte. Die Stawka konnte ihn im Augenblick nicht weiter unterstützen, denn auch ihre Reserven waren erschöpft.

Die sowjetische Offensive begann am 30. August 1941, als Jeremenkos Truppen zum Angriff auf Guderians Flankenschutz, das XLVII. Panzerkorps, antraten. Aber trotz aller Anstrengungen schlug ihr Angriff nicht durch, und im Nordwesten begann die deutsche 2. Armee, Jeremenkos 21. Armee zurückzudrängen. Diese 21. Armee wich gegen die Stellungen der kleinen, hastig aufgestellten 30. Armee der Südwestfront zurück, die daraufhin nach Südosten zurückging. So war die 21. Armee bald völlig von der übrigen Brjanskfront abgeschnitten und durch deutsche Umfassungsangriffe gefährdet: im Westen durch die deutsche 2. Armee und im Osten durch Guderians Panzer. Sie begann einen hastigen Rückzug nach Südosten, hatte keinerlei Verbindung mit dem Oberkommando mehr und war in Gefahr, von zwei Seiten in die Zange genommen und eingekesselt zu werden.

Die Stawka hatte der Brjanskfront einen allzu schweren Auftrag erteilt und wollte nun nicht einsehen, daß Jeremenko ihn nicht ausführen konnte. So schrieb Stalin ihm am 2. September gereizt: „Das Oberkommando ist mit Ihrer Arbeit noch immer nicht zufrieden ... Sie haben den Feind etwas aus dem Gleichgewicht gebracht, aber es ist Ihnen nicht gelungen, ihn aus seinen Stellungen zu vertreiben. Guderian und seine gesamte Gruppe müssen zerschmettert werden. Bis das geschafft ist, ist alles, was Sie über Erfolge sagen, wertlos. Wir erwarten Ihre Meldung, daß Sie die Gruppe Guderian besiegt haben."

Als sich abzeichnete, daß Jeremenkos Gegenoffensive nicht zum Erfolg führen würde, brach die Stawka das aussichtslos gewordene Unternehmen nicht etwa ab, sondern zog Kräfte von anderen Fronten ab, um sie dort in den Kampf zu werfen. Schaposchnikow wies Budjonni an, sein II. Kavalleriekorps zu entsenden – ein Befehl, der den alten Revolutionär und Reiterführer besonders schwer traf. Am 10. September sprach er über Funk mit dem Generalstabchef, wies ihn darauf hin, daß dieses Korps die einzige Reserve der Südfront in dem 200 Kilometer langen Abschnitt Dnjepropetrowsk-Charkow sei, und fügte hinzu: „Ich möchte Sie bitten, sich darum zu kümmern, was Jeremenko tut. Er sollte diese Feindgruppe aufhalten, aber daraus ist nichts geworden." Schaposchnikow beharrte jedoch auf seinem Befehl, und der aufgebrachte Budjonni antwortete: „Gut, meinetwegen ... der Marschbefehl wird sofort erteilt. Bitte erstatten Sie dem Obersten Befehlshaber (Stalin) über meine Auffassungen Bericht, vor allem über die Operationen der Brjanskfront."

Am nächsten Tag wandte der Militärrat der Südwestfront – Budjonni, Chruschtschow und Pokrowski – sich direkt an Stalin. Er ersuchte in aller Form um Erlaubnis zum Rückzug nach Osten, indem er darauf hinwies, daß die gesamte Südwestfront jetzt in Gefahr sei, eingekesselt zu werden: aus Richtung Nowgorod Sewerski (Guderians Ausgangspunkt) und Krementschug (wo Kleists Panzergruppe 1 und die deutsche 17. Armee sich einen Brückenkopf am Dnjepr erkämpft hatten, aus dem Kleist nach Norden vorstieß, um die Verbindung mit Guderian herzustellen). Die drei wiesen darauf hin, daß sie Schaposchnikow bereits um Erlaubnis zum Rückzug gebeten hatten und er ihnen statt dessen befohlen habe, zwei Divisionen der 26. Armee einzusetzen, um Guderian zwischen Bachmatsch und Konotop aufzuhalten. Sie hatten offenbar das Gefühl, Schaposchnikow treffe unter dem Druck der Ereignisse Fehlentscheidungen: Die Ausführung seines Befehls hätte bedeutet, daß die einzig verbleibende Division der 26. Armee (die durch starke Verluste auf weniger als 10 000 Mann zusammengeschmolzen war) einen 150 Kilometer langen Frontabschnitt am Dnjepr gegen einen mehr als sechsmal stärkeren Gegner hätte verteidigen müssen.

Stalin rief sofort den Oberbefehlshaber der Südwestfront an und fragte Generaloberst Michail P. Kirponos nach seiner Meinung. Kirponos erklärte nachdrücklich, er halte es für notwendig, seine Front aus dem Kiewer Bogen rund 250 Kilometer weit nach Osten an den Fluß Psel zurückzuverlegen. Aber davon wollte Stalin nichts hören. Da Budjonni die Fronde der für einen Rückzug Plädierenden anführte, löste Stalin ihn ab und ersetzte ihn durch Marschall Timoschenko, den bis dahin bei weitem erfolgreichsten aus der älteren Garde sowjetischer Heerführer.

Unterdessen war die Lage jedoch schon nicht mehr zu retten. Die Lücke zwischen Guderian und Kleist war keine 100 Kilometer mehr breit, und die deutschen Panzergruppen stießen schneller aufeinander zu, als die eingekesselten sowjetischen Truppen durch den enger werdenden Korridor zurückgehen konnten. Selbst wenn der Befehl zum Rückzug sofort erteilt worden wäre, hätte die Masse der sowjetischen Kräfte den Ausbruch vermutlich gar nicht mehr geschafft. Trotzdem wollte Schaposchnikow – wahrscheinlich auf Stalins Befehl – sie noch immer nicht zurückgehen lassen.

Guderian, der bei der 3. Panzerdivision an der Spitze der Panzergruppe 2 war, traf am 15. September bei Lochwiza mit Kleists Panzern zusammen. Damit waren die sowjetische 5., 21., 26. und 37. Armee eingeschlossen. Die Südwestfront begann zu zerfallen, und ihre Nachrichtenverbindungen befanden sich bald in so chaotischem Zustand, daß Timoschenko seinen Kräften östlich des deutschen Einschließungsrings am nächsten Tag befahl, den Korridor nach Osten offenzuhalten, ohne zu wissen, daß es keinen Korridor mehr gab. Gemeinsam mit Chruschtschow entschloß er sich gegen Stalins Befehl zur Räumung Kiews, aber Kirponos bestand auf einem Stawkabefehl, so daß weitere kostbare Zeit vergeudet wurde.

Während Stalin und Schaposchnikow das Problem in Moskau diskutierten, wurde der deutsche Einschließungsring immer fester. Erst am 17. September um 23.40 Uhr genehmigte das sowjetische Oberkommando die Räumung Kiews. Zwei Nächte, die für den Ausbruch eigener Truppen hätten genützt werden können (tagsüber waren Truppenbewegungen wegen der jetzt fast vollständigen deutschen Luftherrschaft praktisch unmöglich), waren vertan worden, und die unvermeidbare Niederlage wurde durch Stalins Zögern erst recht zu einer Katastrophe. Mitten in der Nacht zum 18. September befahl Kirponos allen seinen Armeen den Ausbruch aus dem Kessel.

Aber der sowjetische Ausbruchsversuch war zum Scheitern verurteilt. Die 37. Armee, die Kiew selbst zu verteidigen hatte, besaß schon keine Verbindung zum Frontoberkommando mehr, erhielt keinen Ausbruchsbefehl und übergab die Stadt nach zweitägigen Kämpfen. Innerhalb weniger Stunden rissen Kirponos' Verbindungen zu seinen übrigen drei Armeen – der 5., 21. und 26. Armee – und der Stawka ab. Die Südwestfront existierte jetzt nur noch dem Namen nach; Kirponos unterstand lediglich noch die 289. Schützendivision, der er sich mit seinem Stab angeschlossen hatte, aber selbst diese Division wurde im Laufe der Nacht zersprengt und zählte nun mehr rund 3000 Mann, als sie Gorodischtsche erreichte. Dort teilte sie sich in mehrere Kampfgruppen auf, von denen jedoch nur wenige ausbrechen konnten. Der Militärrat der Südwestfront gehörte nicht zu denen, deren Ausbruchsversuch Erfolg hatte: Seine drei Mitglieder – Kirponos, Burmistenko und Tupikow – fielen.

Am Ostrand des Kessels hielt die Rote Armee ihre Stellungen besetzt und blickte mit schwindender Hoffnung nach Westen, wo sich vielleicht ein Ausbruch der eingeschlossenen Armee abzeichnen würde. Wenig später begannen kleine Gruppen einzutreffen. Generalmajor I. Ch. Bagramjan, der Kirponos den Rückzugsbefehl überbracht hatte, schlug sich mit 50 Mann durch. General Kusnezow, der Oberbefehlshaber der 21. Armee, führte seine Überlebenden geschlossen zurück – aber die Kampfgruppe war nur 500 Mann stark. General F. Ja. Kostenko brachte nur wenige Mann seiner 26. Armee mit. Brigadekommandeur Borissow brach mit 4000 Kavalleristen aus. Erster Bataillonskommissar Gorban kam mit 52 Fernmeldern des Frontstabs zurück. Und es gab weitere Gruppen, die sich hatten durchschlagen können, aber keine davon war groß.

Hinter sich ließen sie über eine halbe Million Gefallene oder Gefangene zurück – die genaue Zahl steht nicht fest, da die deutsche Heeresgruppe Süd allein 665 000 Gefangene gemacht haben wollte, während sowjetische Quellen „nur“ 527 000 Gefallene, Gefangene und Vermißte zugestehen. Selbst die niedrigere Zahl umfaßt über zwei Drittel der Stärke der Südwestfront bei Kriegsausbruch, der nur ein Vierteljahr zurücklag. Rein zahlenmäßig war dies die größte Katastrophe der russischen Geschichte – und für Guderian (auch wenn er viel lieber nach Moskau vorgestoßen wäre) eine glänzende Rechtfertigung seiner Panzerkriegstheorien. Er sollte schon bald Gelegenheit bekommen, sie vor Moskau zu erproben, um selbst festzustellen, ob die Bevorzugung dieser Stadt durch die sowjetische Führung, die dadurch für andere Gefahren blind geworden war, den Russen die Möglichkeit verschafft hatte, Moskau wirkungsvoller als beispielsweise Kiew zu verteidigen.

Aber diese Aufgabe würde schwieriger als alle bisherigen werden. Und die Feldzugsaison neigte sich ihrem Ende zu. Im Süden war viel Zeit verloren worden; weitere kostbare Zeit würde verlorengehen, bis Guderians Panzer wieder im Norden standen, die wegen der während ihres Vorstoßes nach Lochwiza aufgetretenen Verschleißerscheinungen notwendigen Instandsetzungsarbeiten abgeschlossen hatten und umgegliedert worden waren, um den verlockendsten Siegespreis zu erringen – Moskau.

Die Schlacht um die Hauptstadt

Die für den abschließenden Vorstoß nach Moskau erforderliche Umgliederung war groß, weil die drei Panzergruppen 2 (Guderian), 3 (Hoth) und 4 (Hoepner) eingesetzt werden sollten. Davon befand sich lediglich Hoths schon in ihrer Ausgangsstellung, während Hoepners von der Leningradfront herangeführt werden mußte (was in der zweiten Septemberhälfte geschah) und Guderians aus der Ukraine zurückgeführt werden mußte.

Hitlers Weisung für das Unternehmen „Taifun" erging am 6. September 1941. Geplant war ein weiteres Cannae von den Ausmaßen des in der Ukraine erkämpften, bei dem die Masse zweier sowjetischer Heeresgruppen – Konjews Westfront und Jeremenkos Brjanskfront – schon in der Anfangsphase eingekesselt und vernichtet werden sollten: in den beiden Kesselschlachten von Wjasma und Brjansk. Danach würde der Weg nach Moskau hoffentlich frei sein, und die russische Hauptstadt sollte mit einer riesigen Zangenbewegung von Norden und Süden umgangen und weit im Osten eingeschlossen werden.

Dafür hatte Bock 68 Divisionen – acht motorisierte Infanteriedivisionen, 14 Panzerdivisionen und 46 Infanteriedivisionen – in drei Panzergruppen und drei Armeen zur Verfügung. Ihnen standen drei sowjetische Fronten gegenüber: die Westfront mit drei Armeen, die Brjanskfront mit drei Armeen und einer operativen Gruppe und die Reservefront mit sechs Armeen, von denen zwei neben der Westfront eingesetzt waren, während die vier anderen die zweite Staffel dahinter bildeten. Ihrer Stärke nach entsprachen die sowjetischen Armeen jedoch nur deutschen Armeekorps, denen sie artilleristisch unterlegen waren, zumal ihre Divisionen die Hälfte ihrer Artillerie hatten abgeben müssen, damit eine Artilleriereserve des Oberkommandos gebildet werden konnte. Zugleich war die deutsche Luftunterstützung quantitativ und qualitativ besser.

Das Unternehmen „Taifun" begann am 30. September, als die Panzergruppe 2 zum Angriff nach Nordosten in Richtung Orel antrat, um von dort aus in den Rücken von Jeremenkos Truppen vorzustoßen. Am 2. Oktober ging die gesamte Heeresgruppe Mitte „bei strahlendem Herbstwetter zur Offensive über", wie es im Wehrmachtsbericht hieß. „Der Angriff kam für den Gegner auf ganzer Frontbreite überraschend."

Die Anfangserfolge waren glänzend. Guderians Panzer rollten in Orel ein, bevor die Stadt überhaupt ahnte, daß die Deutschen kamen. Die Straßenbahn verkehrte noch, und die Eindringlinge wurden von Zivilisten, die sie für russische Verstärkungen hielten, mit Jubel empfangen. Die weiter nördlich eingesetzten Panzergruppen 3 und 4 kamen ebenso gut voran, und am 7. Oktober, nur fünf Tage nach Beginn der Hauptoffensive, hatte die Heeresgruppe Mitte die Masse von Konjews Kräften, die 16., 19. und 20. Armee sowie Generalleutnant I. W. Boldins einer Armee entsprechende Operative Gruppe westlich von Wjasma eingekesselt, während in einem weiteren Kessel nordöstlich von Brjansk Jeremenkos 3., 13. und 50. Armee sowie die 24. und 32. Armee der Reservefront festsaßen. Insgesamt waren bei Wjasma und Brjansk 81 sowjetische Divisionen eingekesselt, und der gesamte russischen Abwehrfront vor Moskau drohte der Zusammenbruch.

Aber die Einkesselung war weniger rigoros, als sie bei Kiew gewesen war, und das „strahlende Herbstwetter" hielt nicht lange an. Schon am 6. Oktober wurde es durch die *Rasputiza,* die Schlammperiode, abgelöst, die in Rußland zweimal pro Jahr auftritt: bei der Schneeschmelze im Frühjahr und während der Herbstregenfälle. Da die meisten Straßen unbefestigt waren, verwandelten sie sich während der *Rasputiza* in Schlammbahnen, die den deutschen Angriffsschwung aufhielten, bis weiteres Vorwärtskommen fast unmöglich wurde.

Der Schlamm behinderte natürlich auch die sowjetischen Operationen. Jeremenko, der mit seinen Truppen im Kessel Brjansk festsaß, leitete persönlich die Abwehr eines deutschen Angriffs auf sein Hauptquartier und erteilte seinen Armeen dann den Befehl, kehrtzumachen und sich nach Osten durchzuschlagen. Dabei erwies sich der Schlamm als fast ebenso großes Hindernis wie die Deutschen, obwohl er die Flucht der Eingekesselten durch Sümpfe und Wälder erleichterte, weil er die Bewegungsfreiheit der Deutschen auf eine Handvoll Straßen beschränkte. Trotzdem mußte die

Brjanskfront sich durch fünf deutsche Linien hindurchkämpfen, und als Jeremenkos Divisionen sowjetisches Gebiet erreichten, waren nur wenige von ihnen noch 3000 Mann stark – bei einer Sollstärke von 14300 Mann.

In seinem später folgenden Bericht erwähnt Schukow sarkastisch die deutschen Klagen über den Schlamm und weist darauf hin, daß er auch den Bau von Verteidigungsstellungen behinderte, die vor allem von Moskauer Frauen angelegt wurden. Auch das ist ein stichhaltiges Argument, und es wäre unsinnig, die Schwierigkeiten ignorieren zu wollen, mit denen die Russen während der *Rasputiza* bei ihren verzweifelten Bemühungen, die zusammenbrechende Abwehrfront zu stabilisieren, zu kämpfen hatten. Aber indem der Schlamm den Vormarsch der deutschen Panzer behinderte, nützte er den Russen doch, weil er ihnen Zeit gewinnen half. Und die unter Schukows Befehl stehenden sowjetischen Kräfte nützten die gewonnene Zeit gut. Er selbst sagt, die kritischste Phase der Schlacht um Moskau seien die Tage nach dem 18. Oktober gewesen, als die Zufahrtswege nach Moskau nach der Liquidierung der Kessel Wjasma und Brjansk praktisch ungedeckt gewesen seien. In dieser Zeit war die *Rasputiza* am schlimmsten; sie hörte erst Anfang November auf, als der Boden gefror.

Marschall Schukow äußert sich zum Teil sehr kritisch über die Art und Weise, wie Konjew und Jeremenko ihre Truppen einkesseln und beinahe vernichten ließen, und wir können vermuten, daß die nachdrückliche Antipathie, die diese beiden berühmten Marschälle seither für ihn an den Tag gelegt haben, bis auf die Schlacht um Moskau zurückgeht. Schukows Kritik ist zweifellos größtenteils berechtigt, aber da wir nicht wissen – weil die sowjetischen Quellen sich darüber ausschweigen –, welche Anweisungen die beiden von der Stawka, zu deren führenden Mitgliedern Schukow damals gehörte, erhalten hatten, ist sie mit Vorsicht zu genießen. Falls Konjew und Jeremenko Befehl hatten, ihre Stellungen zu halten, oder erst zu spät die Erlaubnis zum Rückzug erhielten, wären sie nicht mehr zu tadeln als Kirponos, der Stalins Sturheit mit seinem Leben und dem seiner meisten Soldaten bezahlte.

Obwohl Stalin Konjew durch Schukow ablösen ließ, setzte er ihn weiter als Stellvertreter des Oberbefehlshabers der Westfront ein und stellte ihn wenige Wochen später an die Spitze einer neuen

Heeresgruppe, der Kalininfront. Jeremenko wurde beim Ausbruch aus dem Kessel Brjansk verwundet und lag einige Wochen im Lazarett. Stalin besuchte ihn dort (eine seltene Ehre, denn er verließ den Kreml nicht oft) und äußerte sich anerkennend über die Leistungen der Brjanskfront. Und als Jeremenko sich im Juli 1942 von einer weiteren Verwundung erholte, übertrug er ihm die entscheidend wichtige Aufgabe des Oberbefehlshabers der Heeresgruppe, die Stalingrad verteidigte. Das alles läßt nicht gerade darauf schließen, daß Stalin die beiden Männer für unfähig hielt und für den Verlust der Masse ihrer Truppen bei Wjasma und Brjansk verantwortlich machte; es könnte eher darauf hinweisen, daß er die Stawka (und damit auch sich) für entscheidend mitverantwortlich hielt.

Schukow, dessen militärische Erfolge ihm vielleicht das Recht dazu geben, legt bei seiner Bewertung anderer Heerführer einen sehr strengen Maßstab an, und aus seinen *Erinnerungen und Gedanken* geht hervor, daß die Schlacht um Moskau ihm von allen seinen Siegen am meisten bedeutete. Damals waren ihm erstmals so große Truppenmassen – etwa eine Million Mann – unterstellt. Sein Versagen in dieser Schlacht hätte vermutlich den sofortigen Zusammenbruch des gesamten Staats nach sich gezogen, und die Kämpfe fanden in einem Gebiet statt, das er bestens kannte, weil er dort seine Kindheit verbracht hatte.

Aus den Berichten anderer ist zu erkennen, daß Schukow während der Schlacht um Moskau offenbar verletzender, sarkastischer und anspruchsvoller als je zuvor war. Marschall K. K. Rokossowski, selbst ein hervorragend befähigter General und – im Gegensatz zu Schukow – ein freundlicher, toleranter Mann, der nicht nur bei seinen Offizieren, sondern auch bei der Truppe beliebt war, weil er unnötige Verluste zu vermeiden wußte, hat festgestellt: „In der Hitze der Schlacht um Moskau war Schukow manchmal gröber, als die Umstände rechtfertigten.“ Daran sollte man bei Schukows Bemerkungen über die Kessel bei Wjasma und Brjansk sowie die Versäumnisse der Frontoberbefehlshaber denken.

Im folgenden schildert Marschall Schukow die Umstände, unter denen er die Verantwortung für die Verteidigung Moskaus übernahm, und die der sowjetischen Gegenoffensive im Dezember 1941 vorangegangenen Kämpfe:

Die Schlacht um die Hauptstadt
von Marschall G. K. Schukow

Anfang Oktober 1941 befand ich mich in Leningrad, wo ich die Truppen der Leningradfront befehligte. (Schukow, damals noch Armeegeneral, war von Stalin Anfang September dorthin entsandt worden und hatte Marschall K. J. Woroschilow abgelöst.) Aber es ist nicht meine Aufgabe, hier darüber zu sprechen, was die Nazi-Plünderer mit der Stadt vorhatten, die den Namen des großen Lenin trägt, oder die Septemberschlachten der Leningradfront zu schildern.

Im Oktober unternahm der Feind eine Offensive, die seiner Absicht nach mit der Eroberung der Hauptstadt unseres Vaterlandes enden sollte.

Zu Beginn der deutschen Offensive in Richtung Moskau verteidigten drei Fronten (West-, Reserve- und Brjanskfront) im entfernten Vorgelände die Zufahrtswege nach Moskau.

Insgesamt verfügten die West-, Reserve- und Brjanskfront Ende September über rund 800000 Mann mit 770 Panzern und 9150 Geschützen, wobei die Westfront am stärksten ausgerüstet war.

Wie wir jetzt wissen, bestand die deutsche Heeresgruppe Mitte aus über einer Million Mann, 1700 Panzern und Sturmgeschützen und über 19000 Geschützen und Granatwerfern; unterstützt wurde sie von der Luftflotte 2 unter Befehl von Generalfeldmarschall Kesselring. In einer Weisung vom 6. September erteilte Hitler der Heeresgruppe Mitte den Auftrag, die sowjetische Verteidigungslinie zu durchbrechen, die Masse der West-, Reserve- und Brjanskfront einzukesseln und zu vernichten, ihre Überreste zu verfolgen, Moskau im Süden und Norden einzuschließen und die Stadt zu erobern.

Am 30. September 1941 begann der Gegner eine Offensive gegen die Brjanskfront; am 2. Oktober wurden die Truppen der Westfront und der Reservefront heftig angegriffen. Besonders wirkungsvoll waren die feindlichen Vorstöße aus dem Raum nördlich von Duchowschtschina und östlich von Roslawl gegen die 30. und 19. Armee der Westfront und die 41. Armee der Reservefront. Es gelang den Deutschen, unsere Stellungen zu durchbrechen; feindliche Stoßgruppen bewegten sich rasch vorwärts und umfaßten von Süden und Norden die gesamte Kräftegruppe der West- und der Reservefront bei Wjasma.

Eine äußerst kritische Situation entstand auch an der Brjanskfront, wo der 3. und 13. Armee eine Einkesselung drohte. Ohne auf ernsten Widerstand zu stoßen, strebten Teile der Armee Guderians Orel zu, wo der Brjanskfront die Kräfte zur Abwehr dieser Offensive fehlten. Am 3. Oktober nahm der Gegner Orel. Die Brjanskfront war damit zweigeteilt; ihre Truppen zogen sich unter schweren Verlusten nach Osten und Südosten zurück, wodurch sich im Abschnitt Tula eine bedrohliche Lage entwickelte.

Der Befehlshaber der Westfront, Generaloberst Konjew, befahl Generalleutnant I. W. Boldins Operativer Gruppe einen Gegenangriff auf die nördliche Kräftegruppe des Feindes, die uns in der Flanke umgehen wollte, aber er schlug fehl. Am Abend des 6. Oktober war ein bedeutender Teil der Truppen der Westfront (Einheiten von Generalleutnant M. F. Lukins 19. Armee, Generalleutnant K. K. Rokossowskis 16. Armee, Generalleutnant F. A. Jerschakows 20. Armee und General Boldins Operativer Gruppe) und der Reservefront (Generalmajor S. W. Wischnewskis 31. Armee und Generalmajor K. I. Rakutins 24. Armee) westlich von Wjasma eingekesselt.

An diesem Abend (6. Oktober) rief der Oberste Befehlshaber, J. W. Stalin, mich an und erkundigte sich nach der Lage an der Leningradfront. Ich meldete, der deutsche Ansturm habe nachgelassen und daß Kriegsgefangene ausgesagt hatten, die deutschen Verluste seien schwer gewesen und die Offensive sei eingestellt worden. Die Stadt werde gegenwärtig beschossen und bombardiert, aber unsere Luftaufklärung habe starke Bewegungen von motorisierten und Panzerkolonnen aus dem Raum Leningrad nach Süden festgestellt. Das deutsche Oberkommando verlege sie offensichtlich in den Moskauer Abschnitt.

Stalin hörte sich meinen Bericht an, schwieg einen Augenblick und sagte dann, die Lage im Raum Moskau sei sehr ernst, besonders an der Westfront.

„Lassen Sie Ihren Stabschef, General Chosin, als stellvertretenden Kommandeur der Leningradfront zurück, und kommen Sie mit dem Flugzeug nach Moskau“, befahl er mir. Ich gab diese Weisung des Obersten Befehlshabers an Chosin weiter, verabschiedete mich von den Mitgliedern des Militärrates und flog nach Moskau. Am 7. Oktober landete ich bei einbrechender Dunkelheit auf dem Zentralflughafen und fuhr von dort aus in den Kreml.

Stalin war in seiner Wohnung. Er fühlte sich nicht wohl – er hatte eine Erkältung. Er begrüßte mich mit einem Nicken, zeigte auf seine Karte und sagte: „Schauen Sie sich das an. Hier ist eine äußerst kritische Lage entstanden, aber ich erhalte von der Westfront keine genauen Meldungen über die wirklichen Verhältnisse." Und er wies mich an, mich unverzüglich zum Stab der Westfront zu begeben, mich dort eingehend über die Lage zu orientieren und ihn anschließend zu jeder Tages- oder Nachtzeit anzurufen. „Ich werde auf Ihren Anruf warten", sagte er, und damit endete das Gespräch.

Innerhalb einer Viertelstunde war ich beim Chef des Generalstabs, ließ mir eine Karte geben und machte mich – wenn auch nur in großen Zügen – mit der Lage vertraut. Marschall Schaposchnikow sah sehr übermüdet aus. Als er mich begrüßte, sagte er, der Oberste Befehlshaber habe ihn bereits angerufen und ihm befohlen, für ihn eine Karte des Westabschnitts vorzubereiten. „Die Karte wird gleich fertig sein. Das Kommando der Westfront befindet sich dort, wo im August das Hauptquartier der Reservefront stand, als Sie den Feind aus dem Jelnja-Bogen vertrieben haben."

Während er mir die ernste Lage an den Fronten schilderte, fügte er hinzu, daß der Ausbau der Verteidigungsanlagen in der Moschaisk-Linie und im näheren Vorfeld Moskaus noch nicht abgeschlossen sei und dort bisher kaum Truppen stünden. Das Staatliche Verteidigungskomitee, das Zentralkomitee der Partei und das Oberkommando unternahmen alles, um die feindliche Offensive aufzuhalten. Es kam vor allem darauf an, sofort die Verteidigungslinien – insbesondere die Moschaisk-Linie – zu besetzen. Verbände und Einheiten aus der Stawkareserve und den benachbarten Fronten waren in der Nacht zum 7. Oktober bereits dorthin in Marsch gesetzt worden.

Um 2.30 Uhr in der Nacht zum 8. Oktober rief ich Stalin an. Er arbeitete noch. Ich schilderte ihm die Lage an der Westfront und sagte: „Die Hauptgefahr besteht jetzt darin, daß die Linie Moschaisk schlecht abgesichert ist. Die Panzertruppen des Gegners können deshalb überraschend vor Moskau auftauchen. Es gilt, so rasch wie möglich von irgendwoher Truppen an die Moschaisker Verteidigungslinie zu werfen."

Stalin fragte: „Wo stehen im Augenblick die 19. und 20. Armee und die Gruppe Boldin von der Westfront, wo die 24. und 32. Armee der Reservefront?"

„Sie sind westlich und nordwestlich von Wjasma eingekesselt."

„Was haben Sie vor?"

„Ich fahre jetzt gleich zu Budjonni..."

„Wissen Sie überhaupt, wo Budjonnis Stab ist?"

„Nein. Ich werde ihn irgendwo im Raum Malojaroslawez suchen."

„Gut, fahren Sie zu Budjonni und rufen Sie mich von dort aus an."

Es nieselte, dichter Nebel bedeckte das Land, und die Sicht war schlecht. Am 8. Oktober morgens, als wir uns der Siedlung Obninskoje (105 Kilometer von Moskau entfernt) näherten, sahen wir zwei Fernmelder eine Leitung von der Brücke aus über die Protwa ziehen. Als ich sie fragte, wohin sie diese Fernsprechleitung legten, erhielt ich eine sehr unfreundliche Antwort. „Dorthin, wo man es uns befohlen hat", antwortete ein baumlanger Soldat abweisend. Es war klar, daß die beiden alte Soldaten waren, die nicht daran dachten, Fragen von ihnen unbekannten Personen zu beantworten. Ich mußte meinen Namen nennen und erklärte ihnen, ich sei auf der Suche nach dem Stab von Marschall Budjonnis Reservefront. Derselbe baumlange Fernmelder antwortete, wir seien schon am Frontstab vorbeigefahren und müßten umkehren, in den Wald auf den Hügeln links der Brücke zurückfahren und uns dort den Weg von der Wache zeigen lassen.

Zehn Minuten später war ich im Büro des Armeekommissars I. Ranges, L. S. Mechlis, bei dem sich auch der Stabschef der Front, Generalmajor A. F. Anissow, aufhielt. Mechlis telefonierte eben und beschimpfte jemanden heftig. Nachdem er den Hörer aufgelegt hatte, fragte er mich, mit welchem Auftrag ich zu ihnen gekommen sei. Ich erklärte ihm, ich sei als Mitglied des Hauptquartiers im Auftrag Stalins hier, um mich mit der Lage vertraut zu machen, und fragte meinerseits, wo der Frontbefehlshaber sei. Mechlis antwortete, Budjonni habe sich am Vortag bei der 43. Ar-

F

mee aufgehalten; sein gegenwärtiger Aufenthaltsort sei jedoch unbekannt, und der Stab befürchte, ihm sei etwas zugestoßen. Verbindungsoffiziere waren zur Suche nach ihm entsandt worden, aber noch nicht zurückgekehrt. Von Mechlis und Anissow erfuhr ich sehr wenig Konkretes über die Situation der Truppen der Reservefront und den Gegner.

„Sehen Sie sich die Lage nur an“, sagte Mechlis. „Ich bin gerade dabei, die ungeordnet Zurückflutenden zu sammeln, um sie neu zu bewaffnen und neue Truppenverbände zu formieren.“

Ich mußte über Malojaroslawez und Medyn in Richtung Juchnow weiterfahren, da ich hoffte, an Ort und Stelle klarer zu sehen. Als ich die Protwa und Obinskoje passierte, dachte ich unwillkürlich an meine Kindheit und Jugend zurück. Von dieser Bahnstation aus hatte meine Mutter mich als Zwölfjährigen zu Verwandten in Moskau geschickt, um mich Kürschner lernen zu lassen. Vier Jahre später, als ich bereits Geselle war, kam ich häufig aus Moskau ins Dorf zurück, um meine Eltern zu besuchen. Ich kannte das ganze Gebiet um Malojaroslawez gut, da ich es als junger Mensch kreuz und quer durchwandert hatte. Nur zehn Kilometer von Obninskoje – dem jetzigen Hauptquartier der Reservefront – entfernt lag mein Heimatdorf Strelkowka; meine Mutter und meine Schwester mit ihren vier Kindern wohnten noch immer dort. Was würde ihnen geschehen, fragte ich mich, wenn die Nazis das Dorf besetzten? Würden sie herausbekommen, daß das Mutter, Schwester und Neffen General Schukows waren? Und wenn sie's erfuhren... Drei Tage später brachte ein Adjutant, von dem ich sie abholen ließ, sie aus dem Dorf in meine Wohnung in Moskau.

Dann waren wir bereits in Malojaroslawez. Auf dem Weg in die Stadtmitte trafen wir keinen einzigen Menschen. Die Stadt wirkte wie ausgestorben. Aber vor dem Gebäude des Bezirks-Exekutivkomitees standen zwei Personenautos. Am Steuer eines dieser Wagen saß der Fahrer und schlief. Wir weckten ihn auf; er sagte, dies sei Budjonnis Wagen, und Budjonni selbst befinde sich seit etwa drei Stunden im Gebäude des Exekutivkomitees.

Als ich das Gebäude betrat, sah ich Budjonni, und wir begrüßten einander herzlich. Man sah, daß er in diesen schweren Tagen viel durchgemacht hatte.

Als Budjonni hörte, daß ich beim Stab der Westfront gewesen sei, erklärte er mir, daß er schon seit über zwei Tagen keine Verbindung mit Konjew mehr habe; während seines Besuchs bei der 43. Armee sei sein eigener Frontstab verlegt worden, und er wisse jetzt nicht einmal, wohin.

Ich berichtete Budjonni, sein Stab befinde sich 105 Kilometer von Moskau entfernt im Wald links der Eisenbahnbrücke über die Protwa, und er werde dort erwartet. Außerdem teilte ich ihm mit, an der Westfront stehe es sehr schlecht, weil ein großer Teil ihrer Kräfte eingekesselt sei.

„Bei uns steht es nicht besser“, sagte Budjonni. „Die 24. und 32. Armee sind abgeschnitten. Gestern wäre ich zwischen Juchnow und Wjasma beinahe selbst dem Gegner in die Hände gefallen. In Richtung Wjasma bewegten sich große Panzer- und motorisierte Kolonnen, offenbar wollen sie die Stadt von Osten her umgehen.“

„In wessen Händen ist Juchnow?“

„Das weiß ich nicht. Am Fluß Ugra standen etwa zwei Infanterieregimenter, doch ohne Artillerie. Ich denke, daß Juchnow schon vom Gegner besetzt ist.“

„Und wer hält die Straße von Juchnow nach Malojaroslawez?“

„Auf der Fahrt hierher“, sagte Budjonni, „ist mir außer drei Milizsoldaten in Medyn niemand begegnet.“

Wir vereinbarten, daß Budjonni sofort zu seinem Frontstab zurückkehren und dem Hauptquartier von dort aus Bericht über die Lage erstatten würde, während ich über Juchnow nach Kaluga fahren wollte.

Kurz nachdem unser Wagen auf der Fahrt nach Juchnow Medyn verlassen hatte, wurden wir auf einem durch einen Wald führenden Straßenstück von Rotarmisten in Panzerkombinationen und -helmen aufgehalten. Einer von ihnen trat ans Auto, warnte uns, daß wir nicht weiterfahren dürften, und fragte mich, wer ich sei. Nachdem ich meinen Namen genannt hatte, fragte ich meinerseits, wo ihr Truppenteil stehe. Dabei stellte sich heraus, daß sich hier im Wald, nur 100 Meter entfernt, der Gefechtsstand einer Panzerbrigade befand.

Ich war froh, hier auf eine Panzerbrigade zu treffen, und forderte sie auf, mich zum Stab zu führen. Als wir durch den Wald kamen, stand ein stämmiger Panzeroffizier im blauen Overall mit einer Schutzbrille an der Mütze von einem kleinen Baumstumpf auf, auf dem er gesessen hatte, und kam uns entgegen. Irgendwie kam er mir sofort bekannt vor.

„Oberst Troizki, Kommandeur der Panzerbrigade aus der Reserve des Hauptquartiers", meldete er.

Der war er also! Ich kannte Troizki noch gut vom Chalchin-Gol her. Dort war er 1939 Stabschef der 11. Panzerbrigade gewesen – eben der Brigade, die unter dem Befehl des Helden der Sowjetunion Jakowlew am Berg Bain-Zagan die zur japanischen Kaisergarde gehörende 23. Infanteriedivision geschlagen hatte.

Nachdem wir uns kurz begrüßt hatten, kamen wir zur Sache. Oberst Troizki meldete, der Gegner halte Juchnow besetzt und seine Vorausabteilungen hätten die Brücke über die Ugra genommen. Die von Troizki in Richtung Kaluga veranlaßte Aufklärung hatte ergeben, daß in der Stadt noch nichts vom Gegner zu sehen war; in ihrer Umgebung wurde jedoch erbittert gekämpft – dort standen die 5. Schützendivision und zurückgehende Truppen der 43. Armee im Kampf. Die von Troizki befehligte Brigade gehörte zur Reserve des Hauptquartiers und stand bereits den zweiten Tag dort, ohne irgendwelche Anweisungen zu erhalten.

Ich wies Troizki an, einen Verbindungsoffizier zum Stab der Reservefront in der Nähe der Bahnstation Obninskoje zu entsenden, um Budjonni über die Lage berichten zu lassen. Weiterhin sollte er mit einem Teil seiner Brigade das vor ihm liegende Gelände und die Straße nach Medyn sichern. Außerdem befahl ich dem Oberst, dem Generalstab über den Stab der Reservefront die ihm erteilten Befehle melden und ausrichten zu lassen, daß ich zur 5. Schützendivision nach Kaluga gefahren sei. Troizki und ich nahmen als alte Waffenbrüder Abschied voneinander.

Am 9. Oktober suchte mich der Stabschef der Reservefront auf und übergab mir eine telefonische Mitteilung des Generalstabschefs, Marschall Schaposchnikow. Sie lautete: „Der Oberste Befehlshaber hat angeordnet, daß Sie zum Frontstab der Westfront fahren sollen. Sie sind zum Befehlshaber der Westfront ernannt."

So endete mein in meiner Eigenschaft als Mitglied der Stawka unternommener zweitägiger Frontbesuch, bei dem ich mich im Auftrag des Obersten Befehlshabers bemüht hatte, die Lage zu klären. Am frühen Morgen des 10. Oktober traf ich in dem Gebiet vier bis fünf Kilometer nordwestlich von Moschaisk ein, wo sich der Frontstab der Westfront befand. Wie sich herausstellte, war dort eine aus K. E. Woroschilow, G. M. Malenkow, W. M. Molotow und anderen bestehende Kommission des Staatlichen Verteidigungskomitees am Werk. Ich weiß nicht, was und wie die Kommission nach Moskau berichtete, aber allein aus der Tatsache ihres hastigen Eintreffens an der Westfront zu einem so kritischen Zeitpunkt sowie aus Gesprächen mit Kommissionsmitgliedern war unschwer zu erraten, daß der Oberste Befehlshaber sich allergrößte Sorgen wegen der ernsten und äußerst gefährlichen Lage machte, die vor Moskau entstanden war.

Tatsächlich hatten die Einheiten unserer West-, Reserve- und Brjanskfront in den ersten zehn Oktobertagen auf der ganzen Linie versagt. Es zeigte sich, daß die Frontbefehlshaber einige schwere Fehler gemacht hatten: Die Truppen der West- und der Reservefront hatten etwa sechs Wochen lang in der Defensive gestanden und ausreichend Zeit gehabt, um ihre Stellungen vor Beginn der deutschen Offensive in jeder Beziehung auszubauen, aber sie hatten nicht die erforderlichen Schritte unternommen. Ihre Aufklärung hatte es versäumt, Stärke und Richtung der geplanten feindlichen Angriffe zutreffend festzustellen, obwohl sie von der Stawka gewarnt worden waren, daß große deutsche Kräftegruppen gegen sie zusammengezogen würden.

Obwohl die feindliche Offensive für unsere Truppen im Westabschnitt nicht überraschend gekommen war, waren dort nicht alle irgend möglichen Kräfte zu einer tiefgestaffelten Verteidigung zusammengezogen und rechtzeitig in den gefährdeten Gebieten in Stellung gebracht worden. Vor allem das Rückgrat eines Verteidigungssystems, die Panzerabwehr, war nicht verstärkt worden, und man hatte versäumt, Frontreserven in die gefährdeten Abschnitte zu verlegen; weder Artilleriebeschuß noch Luftangriffe waren organisiert worden, um die Masse der wichtigsten feindlichen Kräftegruppe zu zerschlagen, solange sie noch in ihrem Bereitstellungsraum stand; als unsere Stellungen im Raum Wjasma durchbrochen wurden, nahm der Frontstab die von einer Einkesselung bedrohten Truppen nicht zurück. Das hatte dazu geführt, daß die 16., 20., 24. und 32. Armee eingekesselt worden waren.

Während ich mit den Kommissionsmitgliedern sprach, erhielt ich Anweisung, den Obersten Befehlshaber anzurufen, und ging in den Besprechungsraum hinüber. Nun erwähnte Stalin selbst seine Entscheidung, mich zum Befehlshaber der Westfront zu ernennen, und fragte mich, ob ich etwas dagegen einzuwenden hätte. Ich hatte keinen Grund, Einwände zu erheben. Im Laufe des Gesprächs stellte sich jedoch heraus, daß Stalin die Absicht hatte, den gesamten Frontstab auszuwechseln. Das hielt ich nicht für die beste Lösung und machte deshalb den Vorschlag, mit dem Stalin einverstanden war, I. S. Konjew solle als mein Stellvertreter bleiben und mit einer Gruppe von Offizieren in den Abschnitt Kalinin überwechseln, um dort die Truppenbewegungen zu koordinieren, da dieser Abschnitt zu weit vom Frontstab entfernt sei und zusätzlich beaufsichtigt werden müsse. Stalin teilte mir noch mit, daß die restlichen Truppen der Reservefront, die in der Verteidigungslinie Moschaisk und die dorthin in Marsch gesetzten Stawka-Reserven der Westfront unterstellt würden.

„Nehmen Sie die Sache in die Hand und tun Sie etwas!“ Mit dieser Aufforderung beendete Stalin das Gespräch.

Nachdem ich die Lage mit Konjew und Sokolowski besprochen hatte, beschlossen wir, den Frontstab nach Alabino zurückzuverlegen; Konjew sollte mit den nötigen Nachrichtenmitteln und einer Gruppe von Offizieren in den Abschnitt Kalinin überwechseln, um die dortigen Operationen zu koordinieren; N. A. Bulganin, ein Mitglied des Militärrats, und ich würden nach Moschaisk zu dem Kommandanten des Befestigungsbereichs Moschaisk, Oberst S. I. Bogdanow, fahren, um die Lage an Ort und Stelle zu klären.

Der Stab des Befestigungsbereichs Moschaisk, bei dem wir am Nachmittag des 10. Oktober eintrafen, war im städtischen Kulturhaus untergebracht, in dem das Artilleriefeuer und das Krachen der Bomben recht gut zu hören waren. Oberst Bogdanow meldete, daß die durch Artillerie und eine Panzerbrigade verstärkte 32. Schützendivision im Vorgelände von Borodino gegen motorisierte und Panzer-Voraustruppen des Gegners kämpfe. Diese Division werde von Oberst W. I. Polossuchin, einem sehr erfahrenen Kommandeur, befehligt. Nachdem wir Bogdanow die Anweisung gegeben hatten, seine Stellungen unter allen Umständen zu halten, fuhren wir zum Frontstab nach Alabino zurück.

Dort hatte bereits eine umfangreiche Organisations- und Operationsarbeit begonnen, um schleunigst eine tief gegliederte, feste Verteidigungsstellung im Abschnitt Wolokolamsk-Moschaisk-Malojaroslawez-Kaluga aufzubauen und Reserven zu schaffen, um beweglich zu sein und gefährdete Stellen verstärken zu können.

Aus operativer und taktischer Sicht bot die Verteidigungslinie Moschaisk eine Reihe unbestreitbarer Vorteile. Durch ihr Vorfeld flossen die Flüsse Lama, Moskwa, Kolotscha, Luscha und Suchodrew. Da ihre Ufer steil abfielen, stellten alle diese Flüsse schwer zu überwindende Panzerhindernisse dar. Hinter der Moschaisk-Linie lag ein gut ausgebautes Straßen- und Eisenbahnnetz, das weiträumige Truppenverschiebungen nach sämtlichen Richtungen ermöglichte. Hier war es möglich, eine tiefgestaffelte Verteidigung aufzubauen, in der sich der Widerstand verstärkte, je tiefer der Gegner in sie hinein vorstieß.

Die Schwierigkeit lag darin, daß die 215 Kilometer lange Moschaisk-Linie am 10. Oktober nur sehr schwach besetzt war. Die dort eingesetzten Kräfte beliefen sich auf lediglich vier Schützendivisionen, die Moskauer Artillerieschule, die Militärpolitische Schule, die nach dem Obersten Sowjet der Russischen S. S. R. benannte Schule, die Podolsker MG-Schule, drei Reserve-Schützenregimenter und fünf MG-Bataillone. Insgesamt wurde die für 150 Bataillone ausgelegte Linie von lediglich 45 gehalten, was eine sehr geringe Truppendichte ergab, weil jedes Bataillon im Schnitt etwa fünf Kilometer Frontbreite zu verteidigen hatte. Auf diese Weise war der Zugang nach Moskau in Wirklichkeit kaum verteidigt.

Das Oberste Kommando ergriff jedoch außergewöhnliche Maßnahmen, um die der Hauptstadt drohende Gefahr abzuwenden. Am 9. Oktober wurde das Kommando der Truppen der Verteidigungslinie Moschaisk in Kommando der Moskauer Reservefront umbenannt (Frontbefehlshaber Generalleutnant P. A. Artjomjew, Mitglied des Militärrats Divisionskommissar K. F. Telegin, Stabschef Generalmajor A. I. Kudrjaschow). Die Stawka entsandte dorthin fünf neuaufgestellte MG-Bataillone, zehn Pak-Regimenter und fünf Panzerbrigaden. Bis zum 11. Oktober wurden die Kräfte im Abschnitt Moschaisk in die 5. Armee unter Befehl von Generalmajor D. D. Leljuschenko eingegliedert. Zurückgehende Einheiten der West- und der Reservefront wurden auf diese Verteidigungslinie konzentriert, während Verbände und Einheiten vom rechten Flügel der Westfront und aus südwestlicher Richtung sowie Reserven aus dem Hinterland hastig dorthin in Marsch gesetzt wurden. Das ganze Land, die Söhne und Töchter aller Sowjetrepubliken, folgten dem Ruf von Partei und Regierung und erhoben sich zur Verteidigung Moskaus.

Der Frontstab der Westfront mußte die ihm zugeteilten Truppen und Waffen planmäßig einsetzen, ohne eine Minute wertvoller Zeit zu vergeuden, um in allen bedrohten Abschnitten eine stabile Verteidigung zu schaffen, sie in der Tiefe auszubauen und Frontreserven zu bilden, die Spielraum für die Verstärkung gefährdeter Punkte boten.

Wir alle mußten Tag und Nacht ohne Pause arbeiten. Männer brachen vor Übermüdung und Schlafmangel buchstäblich zusammen, aber jeder tat alles nur Mögliche – und manchmal sogar das Unmögliche. Im Gefühl unserer persönlichen Verantwortung für das Schicksal Moskaus und des Vaterlands bewiesen die Generale und Stabsoffiziere, Kommandeure und politischen Arbeiter aller Dienstgrade nie dagewesene Arbeitskraft und Opferwillen. Sie bemühten sich, sicherzustellen, daß alles so gut wie irgend möglich erledigt wurde, daß die Boden- und Luftaufklärung organisiert, die Truppenführung wirksamer gestaltet und der Nachschub störungsfrei geregelt wurde. Die parteipolitische Arbeit wurde intensiviert, der Kampfgeist der Soldaten gehoben und ihr Glauben an die eigenen Kräfte, an den Sieg über den Feind vor Moskau gefestigt.

Gemäß einer Stawka-Weisung wurden sämtliche Kampftruppen und Einrichtungen der Moskauer Reservefront mit Wirkung vom 12. Oktober 23 Uhr der wiederaufgefrischten Westfront unterstellt. Unterdessen wurde die Lage immer schwieriger. Ein Lagebericht des Militärrats der Front an die Stawka vom 12. Oktober 1941 soll zeigen, wie die Dinge standen: „Der Gegner in Stärke zweier Panzer- und einer motorisierten Infanteriedivision sowie nicht weniger als drei Infanteriedivisionen hat den Raum Sytschewka-Subzow erobert und baut seinen Erfolg weiter in Richtung Kalinin aus. Die Spitzen einer nach Kalinin vorstoßenden Panzerdivision hatten am 12. Oktober um 9.35 Uhr eine Linie 25 Kilometer südöstlich von Stariza erreicht.

Getroffene Entscheidungen und erteilte Befehle: 1. Die Kommandeure der 22. und 29. Armee sollen jeweils ein Regiment mit Panzerbekämpfungsmitteln im Kraftwagenmarsch in den Raum östlich von Stariza verlegen, um den Abschnitt Kalinin zu decken. 2. Die auf dem Marsch nach Rschew befindliche 174. Schützendivision ist nach Stariza verlegt worden. Der Kommandeur der 22. Armee hat Anweisung erhalten, die 256. Schützendivision aus der Front herauszuziehen und im Eilmarsch nach Kalinin zu verlegen, um sie die Stadt nach Süden verteidigen zu lassen. 4. Der Standortkommandant in Kalinin ist angewiesen worden, Teile der dort stationierten Truppen entlang der Linie Boriskowo-Pokrowskoje in Stellung gehen zu lassen...

Die Verteidigung Kalinins läßt sich nur verstärken, indem sofort nicht weniger als eine Schützendivision und eine Panzerbrigade dorthin entsandt werden. Dazu ist die Front zum gegenwärtigen Zeitpunkt nicht imstande.

Ich ersuche deshalb um schnellstmögliche Entsendung einer Division aus der Reserve des Hauptquartiers nach Kalinin.

Im Abschnitt Wolokolamsk, in dem überhaupt keine Truppen stehen, herrscht die gleiche Lage, und die Front kann keinerlei Kräfte für diesen Abschnitt erübrigen.

Deshalb ist es unbedingt erforderlich, daß auch für diesen Abschnitt sofort mindestens eine Division bereitgestellt wird."

Mitte Oktober waren die neu aufgestellte 5., 16., 43 und 49. Armee insgesamt nur 90000 Mann stark. Natürlich reichte dies nicht aus, um eine durchgehende und zuverlässige Verteidigung zu schaffen; deshalb beschlossen wir, in erster Linie die Schwerpunkte zu besetzen: die Abschnitte Wolokolamsk, Istra, Moschaisk, Malojaroslawez und Podolsk-Kaluga. An den gleichen Stellen wurden auch unsere Hauptkräfte an Artillerie und Panzerabwehrwaffen konzentriert.

Am 13. Oktober 1941 etablierten sich im Abschnitt Wolokolamsk der Stab und das Kommando der 16. Armee unter K. K. Rokossowski, A. A. Lobatschow und M. S. Malinin. Der Befestigungsbereich Wolokolamsk und neu eintreffende Einheiten wurden der 16. Armee unterstellt. Zur 5. Armee unter Befehl von Generalmajor L. A. Goworow gehörten der Befestigungsbereich Moschaisk, Oberst Polossuchins 32. Schützendivision und neu eintreffende Einheiten, während die 43. Armee Generalmajor K. D. Golubews unter anderem den Befestigungsbereich Malojaroslawez zu halten hatte. Die 49. Armee stand unter Befehl von Generalleutnant I. G. Sacharkin im Befestigungsbereich Kaluga.

Sie alle waren erfahrene Heerführer, die unser Vertrauen besaßen. Ich wußte, daß sie mit ihren Truppen alles tun würden, was in ihrer Kraft stand, um den Gegner von Moskau abzuwehren. Weiterhin erwähnen muß ich die präzise Arbeit des Stabes des Oberkommandos unter Führung von Generalleutnant (später Marschall der Sowjetunion) Sokolowski und die energischen Bemühungen des Chefs der Nachrichtentruppen der Front, Generalmajor N. D. Psurzew (später Minister für Fernmeldewesen), jederzeit sicherzustellen, daß die Kräfte der Front straff geführt werden konnten.

Im Hinterland der Westfront wurden umfangreiche Schanzarbeiten geleistet, um das Verteidigungssystem in der Tiefe auszubauen. In den besonders gefährdeten Abschnitten wurden Panzerhindernisse errichtet; die Reserven der Front wurden an den Schwerpunkten zusammengezogen. Der Frontstab siedelte bald darauf von Alabino nach Perchuschkowo über und erhielt Fernmeldeverbindung zu den Bodentruppen und den Stäben der Luftstreitkräfte. Nachschub wurde rasch nach vorn gebracht; medizinische und andere rückwärtige Einrichtungen wurden ausgebaut. Auf diese Weise wurde schließlich eine neue Westfront geschaffen, die den bedeutsamen Auftrag hatte, den deutschen Angriff auf Moskau abzuwehren.

Die Kommunistische Partei begann eine großangelegte Aufklärungsarbeit unter dem Sowjetvolk: Die kritische Situation und Gefährdung der Stadt Moskau sollte allen bewußt werden. Das Zentralkomitee rief das ganze Volk auf, einen entschlossenen Kampf gegen Gleichgültigkeit und Panik zu führen, seine Pflicht gegenüber der Heimat ehrenhaft zu erfüllen und den Feind vor Moskau aufzuhalten.

Mitte Oktober brauchten wir vor allem Zeit, um unsere Verteidigungsstellungen ausbauen zu können. Betrachtet man den Einsatz der 16., 19., 20., 24. und 32. Armee sowie der Gruppe Boldin, die westlich von Wjasma eingeschlossen waren, muß man ihrem Heldenkampf alle Anerkennung zollen. Die im gegnerischen Hinterland steckengebliebenen Truppen gaben nicht auf, sondern kämpften tapfer weiter, hielten dadurch bedeutende Kräfte des Feindes fest und behinderten so die Fortsetzung der deutschen Offensive in Richtung Moskau. Frontstab und Hauptquartier unterstützten die eingekesselten Truppen durch Luftangriffe auf die deutschen Stellungen und den Abwurf von Verpflegung und Munition, doch mehr konnte damals für die Eingekesselten nicht getan werden, da es an Truppen und Material fehlte.

Zweimal – am 10. und 12. Oktober – sendeten wir an die Armeekommandeure der eingekesselten Kräfte verschlüsselte Funksprüche mit kurzen Informationen über den Gegner und dem Auftrag, zu uns durchzubrechen, wobei der Oberbefehl im Kessel dem Kommandeur der 19. Armee, General M. F. Lukin, übertragen wurde. Er sollte unverzüglich verschlüsselt seinen Durchbruchsplan sowie die Gliederung seiner Verbände melden und zugleich angeben, in welchem Abschnitt die Luftstreitkräfte der Front ihn unterstützen könnten. Beide Funksprüche blieben jedoch unbeantwortet. Wahrscheinlich erreichten sie die eingekesselten Truppen zu spät; offenbar war es schon nicht mehr möglich, ihren Ausbruch zu koordinieren, und es gelang ihnen nur, in einzelnen Gruppen aus dem Kessel auszubrechen.

Trotzdem wurde die Hauptstreitmacht des Gegners dank der Standhaftigkeit und Beharrlichkeit unserer Truppen, die im Kessel Wjasma kämpften, in den für uns kritischsten Tagen aufgehalten. Wir gewannen wertvolle Zeit für den Ausbau der Verteidigungslinie Moschaisk, so daß die blutigen Opfer der eingekesselten Truppen nicht vergebens waren. Aber die Leistung der sowjetischen Soldaten, deren Heldenkampf bei Wjasma so erheblich zur Verteidigung Moskaus beitrug, ist bis heute noch nicht ausführlich geschildert worden

Am 13. Oktober gaben unsere Truppen unter dem deutschen Ansturm auf. In allen Hauptabschnitten flammten erbitterte Kämpfe auf, während die Deutschen einen großen Teil ihrer Panzerkräfte gegen alle nach Moskau führenden Routen einsetzten. Die Feindaufklärung der Westfront meldete am 15. Oktober bis zu 50 Feindpanzer im Raum Turginowo, etwa 100 bei Lotoschino, bis zu 100 bei Makarowo und Karagatowo, rund 50 vor Borowsk und etwa 40 im Raum Borodino.

Wegen der größeren Gefährdung Moskaus beschlossen das Zentralkomitee der Kommunistischen Partei und das Staatliche Verteidigungskomitee, sofort mehrere Abteilungen des Zentralkomitees, verschiedene Ministerien sowie das gesamte Diplomatische Korps aus Moskau nach Kubytschzew zu evakuieren; auch ein Großteil des Staatsschatzes sollte ausgelagert werden. Diese Evakuierung begann in der Nacht zum 16. Oktober. Die Moskauer reagierten auf alle diese Maßnahmen mit vollem Verständnis, aber in jeder Herde gibt es schwarze Schafe, so daß es dort auch Feiglinge, Panikmacher und Egoisten gab. Sie flüchteten nach allen Richtungen aus Moskau und verbreiteten defätistische Gerüchte, daß sein Fall unmittelbar bevorstehe; um die Kräfte und Einwohner der Hauptstadt zur Abwehr des Feindes zu mobilisieren und die Panik zu beenden, die Provokateure am 16. Oktober in Moskau ausgelöst hatten, verhängte das Staatliche Verteidigungskomitee am 19. Oktober über Moskau und Umgebung den Belagerungszustand.

Da die Verteidigungsstellungen entlang der Linie Wolokolamsk-Moschaisk-Malojaroslawez-Serpuchow noch immer ungenügend besetzt waren und sich zum Teil schon in der Hand des Gegners befanden, entschied der Militärrat der Front sich zur Verhinderung eines Durchbruchs nach Moskau zur Linie Nowo Sawidowski-Klin-Istra mit Stausee Krasnaja Pachra-Serpuchow-Alexin als Hauptverteidigungsabschnitt. Wegen der Bedeutung dieser Entscheidung halte ich es für angebracht, hier den gesamten Plan für den Rückzug der Armeen der Westfront aus der Moschaisk-Linie zu zitieren. Er wurde am 19. Oktober 1941 von Stalin genehmigt und sah im einzelnen vor:

1. Sollte es sich als unmöglich erweisen, die feindliche Offensive an der Verteidigungslinie Moschaisk zum Stehen zu bringen, gehen die Frontarmeen, deren Nachhuten den angreifenden Gegner aufhalten, mit ihren Hauptkräften – mit der Masse ihrer Artillerie beginnend – in die Verteidigungsstellung zurück, die entlang der Linie Nowo Sawidowski-Klin-Istra mit Stausee Krasnaja Pachra-Serpuchow-Alexin vorbereitet wird. Sämtliche Fliegerkräfte werden eingesetz, um den Rückzug zu decken.

2. Bis ihre Einheiten in der Hauptverteidigungslinie in Stellung sind, organisieren und führen die Armeen Rückzugsgefechte mit starken Nachhuten, die reichlich mit Panzerabwehrwaffen ausgestattet sind; außerdem hält jede Armee schnelle Truppen bereit,

die erforderlichenfalls rasche Gegenstöße führen können, um den Gegner so lange wie möglich entlang der Zwischenlinie Koslowo-Gologusowo-Jelgosino-Nowo Petrowskoje-Kolubjakowo-Naro-Fominsk-Tarutino-Tschernaja Grjas-Protwa (Fluß).

3. Die Armeen ziehen sich innerhalb ihrer Grenzen zurück; eine Ausnahme bilden lediglich die 5. und 16. Armee: Die Grenze zwischen ihnen verläuft von Zagorsk über Ikscha und Powarowo nach Tarchanowo, die sämtlich zum Bereich der 16. Armee gehören.

4. Die Rückwärtigen Dienste der Armeen gehen innerhalb ihrer Grenzen zurück, ausgenommen die 5. und 33. Armee, deren Rückwärtige Dienste Straßen außerhalb Moskaus und des Moskauer Verteidigungsbezirks zu benützen haben – d.h. die Rückwärtigen Dienste der 5. Armee die Straßen nördlich von Chimki und Mytischtschi und die der 33. Armee die Straßen südlich von Peredelkino und Ljuberzy. Kein einziges Fuhrwerk und kein einziges Kraftfahrzeug darf durch Moskau oder den Moskauer Verteidigungsbezirk geschickt oder gelassen werden. Um das sicherzustellen, treffen die 5. und 33. Armee rechtzeitig bindende Anordnungen für den Rückzug und legen die Straßen fest, auf denen Transportkolonnen, Rückwärtige Dienste und Truppen zurückgehen sollen. Nicht benötigte Rückwärtige Dienste müssen vorzeitig abgezogen werden.

5. Sollte die Schlacht an der Hauptkampflinie Istra-Pawlowskaja-Sloboda-Schaworonki ungünstig enden, zieht die 5. Armee nicht in den Befestigungsbereich um Moskau, sondern in nordöstlicher Richtung in den Raum nördlich von Chimki zurück, und ihr linker Flügel vereinigt sich mit Teilen der 33. Armee südlich von Pereldelkino und Ljuberzy. Die dadurch freiwerdenden Einheiten werden in die Armeereserve abgezogen, passieren den Befestigungsbereich Moskau im Südosten und Osten und verbleiben im Raum Puschkino.

6. Als Folge muß der Nachschubumschlagplatz der 5. Armee der Bahnhof Puschkino und der der 33. Armee der Bahnhof Ramenskoje sein. Die 16., 43. und 49. Armee werden auf Nachschubbahnhöfe innerhalb ihrer Grenzen verwiesen.

7. Um den vorgesehenen Rückzug von Einheiten der Armeen über das Straßennetz im Raum Nowo Petrowskoje-Kubinka-Naro-Fominsk-Worobja zu decken, muß die Panzerabwehr durch Artil-

lerieregimenter der Panzerabwehrkräfte im voraus sichergestellt sein. Dadurch muß jegliche Möglichkeit eines gegnerischen Panzerdurchbruchs in die Etappe ausgeschlossen werden.

Teile der Streitkräfte der Armeen rücken schon vorzeitig in den wichtigsten Abschnitten mit Infanterieverbänden und vor allem mit Artillerie und Raketenwerferbatterien in die Hauptverteidigungslinie ein.

Die 16. Armee läßt die Überreste der 126. Schützendivision im voraus in den Räumen Klin und Troizkoje in Stellung gehen; die 5. Armee tut das gleiche in den Räumen Dawidkowo und Krasnaja Pachra mit der 110. oder 113. Schützendivision; ebenso die 34. Armee im Raum westlich von Podolsk und Lopasnja mit der 53. Schützendivision.

8. Die Führung der Frontarmeen auf dem Rückzug erfolgt über das Fernmeldenetz des Volkskommissariats für Verteidigung in Moskau; zugleich sind ein Fernmeldenetz und die Unterbringung des Frontstabs im Raum Orechowo-Zujewo oder Likino-Dulewo vorzubereiten. (Gezeichnet) Befehlshaber der Westfront, Armeegeneral Schukow; Mtglied des Militärrats der Westfront, Bulganin; Chef des Stabs der Westfront, Generalleutnant Sokolowski, 19. Oktober 1941.

Dieser Plan wurde den Armeekommandeuren unter besonders strenger Geheimhaltung übermittelt, und sie arbeiteten ihre eigenen Pläne in Übereinstimmung damit aus. Wie wir bereits wissen, mußten die Truppen der Westfront sich unter erbitterten Kämpfen aus der Verteidigungslinie Moschaisk zurückziehen; sie bemühten sich dabei, den Feind so lange wie irgend möglich aufzuhalten, um so Zeit zu gewinnen, damit die aus der Stawka-Reserve herangeführten Verbände zur Verstärkung der rückwärtigen Verteidigungslinie eingesetzt werden konnten.

Der Militärrat der Westfront richtete dann einen Appell an die Truppe, in dem es hieß: „Genossen! In dieser schweren Stunde der Gefahr für unseren Staat gehört das Leben jedes Soldaten dem Vaterland. Die Heimat verlangt von jedem von uns die größte Anspannung aller Kräfte, Tapferkeit, Heldenmut und Ausdauer. Die Heimat ruft uns auf, eine unüberwindbare Mauer gegen die faschistischen Horden zu bilden und ihnen den Weg nach Moskau zu verbauen. Wachsamkeit, eiserne Disziplin, Organisation, entschlossenes Handeln, Willensstärke, Siegesgewißheit und die Bereitschaft zur Selbstaufopferung sind heute nötiger als je zuvor."

Das Ergebnis der Verteidigungsschlachten vor Moskau im Oktober 1941 ist bekannt. In einem Monat erbitterter und blutiger Kämpfe gelang es den deutschen Truppen, um insgesamt 230–250 Kilometer vorzurücken. Doch der Plan des Hitler-Kommandos, Moskau gegen Mitte Oktober zu erobern, wurde vereitelt, die Kräfte des Feindes wurden ausgelaugt und seine Stoßgruppen verdünnt.

Die deutsche Offensive wurde mit jedem Tag schwächer und Ende Oktober an der Linie Turginowo-Wolokolamsk-Dorochowo-Naro-Fominsk westlich von Serpuchow-Alexin zum Stehen gebracht. Gleichzeitig hatte sich im Raum Kalinin die Kalininfront stabilisiert und hielt ihre Verteidigungsstellungen. (Wegen der großen Länge der Westfront und der Schwierigkeiten, die bei der Führung der Kräfte im Raum Kalinin auftraten, beschloß das Hauptquartier am 17. Oktober, die 22., 29. und 30. Armee zu einer neuen Kalininfront zusammenzufassen; ihr Befehlshaber war Generaloberst Konjew, dem Korpskommissar D. S. Leonow als Mitglied des Militärrats und Generalmajor I. I. Iwanow als Stabschef zur Seite standen.) Die Brjanskfront, deren Einheiten sich bis zum 30. Oktober auf die Linie Alexin-Tula-Jefremow-Tim zurückzogen, vereitelte die Absicht des Gegners, Tula zu nehmen, und schützte die Verbindungen nach Jelez und Woronesch.

Wenn wir von diesen Heldentaten sprechen, denken wir dabei nicht nur an unsere Soldaten, Kommandeure und Politfunktionäre. Was im Oktober und in den nachfolgenden Schlachten an der Front erreicht wurde, war nur dank der gemeinsamen Anstrengungen der Sowjettruppen und der Werktätigen Moskaus und des Moskauer Gebiets möglich, die einmütig vom ganzen Volk der Sowjetunion unterstützt wurden.

Die vielfältigen Aktivitäten der Parteiorganisation Moskaus und des Moskauer Gebiets mit dem Ziel, die Arbeitermassen zur Verteidigung der Hauptstadt gegen einen grausamen Feind zu vereinigen und aufzurütteln, vereinigten sich zu einem Heldenepos. Die flammenden Aufrufe des Zentralkomitees der Kommunistischen Partei, der Stadt Moskau und des Moskauer Parteikomitees zur

Verteidigung der Hauptstadt richteten sich an jeden Moskauer, jeden Soldaten, das ganze Sowjetvolk und riefen ein gewaltiges Echo in ihren Herzen hervor. Die Werktätigen Moskaus legten gemeinsam mit den Soldaten den Eid ab, bis zum Tod standzuhalten und zu verhindern, daß der Feind die Hauptstadt erreichte; diesen Eid erfüllten sie ehrenvoll.

Wir wollen daran denken, daß die Werktätigen der Hauptstadt die Front allein im Oktober/November 1941 mit fünf Freiwilligendivisionen verstärkten. Seit Kriegsausbruch hatten die Moskauer damit insgesamt 17 Divisionen aufgestellt. Außer den Freiwilligendivisionen der Volkswehr stellten sie Hunderte von bewaffneten Abteilungen, Kampfgruppen und Panzerjägereinheiten für den Fall eines feindlichen Einbruchs in die Stadt auf. Am 13. Oktober 1941 beschloß das Moskauer Parteikomitee zur Verteidigung der Hauptstadt die Aufstellung von Arbeiterbataillonen in jedem Stadtbezirk. Und wenig später, buchstäblich innerhalb weniger Tage, waren 25 unabhängige Kompanien und Bataillone entstanden, die rund 12000 Mann zählten – vor allem Parteimitglieder und Komsomolzen. Weitere 100000 Moskauer wurden in ihrer Freizeit militärisch ausgebildet und stießen danach zur kämpfenden Truppe, während etwa 17000 Frauen und Mädchen zu Kranken- oder Operationsschwestern ausgebildet wurden.

In die Freiwilligendivisionen der Volkswehr traten Vertreter der verschiedensten Zivilberufe ein: Arbeiter, Ingenieure, Techniker, Wissenschaftler und Künstler. Viele von ihnen besaßen keine militärische Ausbildung; der Militärdienst war für sie etwas Neues, und sie mußten manches direkt im Gefecht lernen. Doch eines hatten sie alle gemeinsam: höchsten Patriotismus, unerschütterliche Standhaftigkeit und das Vertrauen auf den Sieg. Es ist wohl kein Zufall, daß aus den in der Hauptstadt aufgestellten Freiwilligenverbänden die großartige Kampftruppe der Moskauer Freiwilligen entstand, sobald sie die notwendige Gefechtserfahrung gesammelt hatte. Moskauer bildeten den Kern vieler Sondereinheiten aus Spähern und Skischützen und schlossen sich der Partisanenbewegung an.

Die Leistungen der Einwohner der Hauptstadt, die mit eigenen Händen Verteidigungsanlagen zu ihrem Schutz errichteten, wird niemals vergessen werden. Über 500000 Arbeitskräfte aus Moskau und der Moskauer Region, die meisten von ihnen Frauen, bauten Verteidigungsanlagen an den fernen und nahen Zufahrtswegen aus.

In den Nachkriegsjahren haben Hitlers Generale und bourgeoise Historiker sich häufig über die schlechten russischen Straßen und den Schlamm auf der einen Seite und den russischen Frost auf der anderen ausgelassen. Diese Methode der Legendenbildung ist bereits als untauglich entlarvt worden; trotzdem möchte ich die Aufmerksamkeit des Lesers erneut auf die Ausführungen General Kurt von Tippelskirchs lenken, der ebenfalls behauptet, die Deutschen seien durch widriges Wetter an der Einnahme Moskaus gehindert worden. Die Straßen seien unpassierbar geworden, schrieb er nach dem Krieg, der Schlamm habe an den Stiefeln der Männer, den Hufen der Zugtiere und den Rädern von Fuhrwerken und Kraftfahrzeugen geklebt... So sei die Offensive zum Stehen gekommen.

Hatten Hitlers Generale denn bei der Planung ihres Ostfeldzugs damit gerechnet, bis nach Moskau und darüber hinaus auf glatten, asphaltierten Straßen fahren zu können? Um so schlimmer für sie und ihre Soldaten, die – wie Tippelskirch behauptet – vor Moskau im Schlamm steckenblieben. Ich habe damals mit eigenen Augen Tausende und Abertausende von Moskauerinnen gesehen, die nicht an schwere Arbeit gewöhnt und leicht bekleidet aus ihren Stadtwohnungen gekommen waren. Sie hoben bei dem selben schlechten Wetter und im Schlamm Panzer- und Schützengräben aus, errichteten Panzersperren, bauten Barrikaden und Drahthindernisse und schleppten Sandsäcke heran. Der Schlamm klebte auch an ihren Füßen und an den Rädern der mit Erde gefüllten Schubkarren und machte die ohnehin nicht für Frauenhände bestimmten Schaufeln unvergleichlich schwerer...

Ich glaube, daß ich den Vergleich nicht weiter auszuführen brauche, aber ich möchte zur Information derer, die dazu neigen, die wirklichen Ursachen der deutschen Niederlage vor Moskau unter Schlamm zu verbergen, doch feststellen, daß die Schlammperiode im Oktober 1941 verhältnismäßig kurz war. Das kalte Wetter begann Anfang November; es schneite, und Gelände und Straßen waren überall wieder befahrbar. In den Novembertagen des deutschen „Generalangriffs" herrschten im Raum Moskau im Durchschnitt sieben bis zehn Grad Frost, und bekanntlich gibt es bei solchem Wetter kein aufgeweichtes Gelände.

Aber die Moskauer arbeiteten selbst bei Frost aufopfernd weiter an der Fertigstellung der Verteidigungsanlagen. Der Ausbau des äußeren Verteidigungsrings um Moskau wurde am 25. November abgeschlossen. Wie ich wußte, arbeiteten dort über 100000 Einwohner der Hauptstadt, überwiegend Frauen. In dieser Verteidigungslinie bauten sie 1428 Geschützstellungen und MG-Nester, 160 Kilometer Panzergräben, 112 Kilometer dreireihiger Stacheldrahthindernisse und eine große Zahl weiterer Hindernisse. Das war jedoch noch nicht alles, was sie zu unserem gemeinsamen Sieg beitrugen. Die Bereitschaft der Werktätigen, sich zur Verteidigung ihrer Hauptstadt aufzuopfern, hatte große moralische Wirkung auf die Truppe, vervielfachte ihre Kraft und stärkte ihren Kampfeswillen.

Tagtäglich hörten wir von der aufopfernden Arbeit der Moskauer, die in fast allen Fabriken Moskaus Kriegsmaterial herstellten, wobei die Produktion keineswegs auf die großen Werke beschränkt blieb, sondern auch in Klein- und Genossenschaftsbetrieben aufgenommen wurde.

Ich darf auch nicht vergessen, an dieser Stelle zu erwähnen, daß Tausende von Moskauern in Luftschutzgruppen und -abteilungen Tag und Nacht auf den Hausdächern wachten. Hunderte von Frauen und Mädchen arbeiteten freiwillig in Lazaretten, pflegten Verwundete gesund und umgaben sie mit liebevoller Fürsorge. Und wieviel Freude brachten der Front die Briefe, Telegramme und Pakete von Moskauern und Werktätigen aus dem ganzen Land! Während der Schlacht um Moskau erhielt die Truppe 450000 Pakete sowie 700000 Kleidungsstücke, darunter einige von Werktätigen der Mongolischen Volksrepublik, aus der eine Delegation unter Führung von Marschall Chorloogiin Tschoibalsan unsere Front besuchte.

Am 1. November 1941 wurde ich ins Hauptquartier bestellt. Stalin sagte zu mir: „Wir wollen in Moskau nicht nur unsere Festsitzung zum Jahrestag der Oktoberrevolution, sondern auch eine Truppenparade abhalten. Glauben Sie, daß wir uns das bei der augenblicklichen Frontlage erlauben können?“

Ich meldete, der Feind werde in den nächsten Tagen keine Großoffensive beginnen können, da er in den bisherigen Schlachten schwere Verluste erlitten habe und nun damit beschäftigt sei, seine Truppen aufzufüllen und umzugruppieren. Seine Luftwaffe könne in diesen Tagen jedoch aktiv sein und werde sehr wahrscheinlich versuchen, Angriffe zu fliegen.

Deshalb wurde beschlossen, den Luftschirm der Hauptstadt zu verstärken, indem zusätzliche Jagdflieger von den Nachbarfronten nach Moskau verlegt wurden. Die traditionelle Truppenparade fand am 7. November auf dem Roten Platz statt. Alles klappte einwandfrei, und die Truppen zogen nach dem Vorbeimarsch am Leninmausoleum direkt an die Front. Die nationale und internationale Bedeutung dieser Parade zum Jahrestag der Oktoberrevolution war zweifellos gewaltig.

In der ersten Novemberhälfte unternahm das sowjetische Oberkommando, das damit rechnete, daß der Gegner erneut versuchen würde, Moskau anzugreifen, alle unter den damaligen Umständen möglichen Schritte, um sicherzustellen, daß dieser Versuch fehlschlug. Die Kräfte der Westfront bauten die von ihnen gehaltenen Verteidigungsstellungen weiter aus und wurden an einigen Schwerpunkten umgegliedert. Am 10. November um 18 Uhr gingen die 5. Armee und die Verteidigung von Tula auf Beschluß der Stawka an die Westfront über, und die Brjanskfront wurde aufgelöst (ihre 3. und 13. Armee wurden in die Südwestfront eingegliedert). Die Übernahme des Abschnitts Tula sowie der 5. Armee bedeuteten, daß unsere Abwehrfront sich erheblich verlängerte, zumal diese Armee zahlenmäßig sehr schwach war.

Andererseits wurden uns neue Einheiten, Material, Waffen, Munition, Fernmeldegerät und sonstiger Nachschub aus der Reserve des Hauptquartiers zugeführt. Pelzmäntel, Filzstiefel, warme Unterwäsche, warme Jacken und Pelzmützen mit Ohrenklappen trafen in großen Mengen bei der Front, den Armeen und den Divisionen ein. Mitte November waren unsere Truppen warm bekleidet und fühlten sich um einiges wohler als die Soldaten Nazi-Deutschlands, die sich mit bei der Zivilbevölkerung beschlagnahmten Kleidungsstücken vermummt hatten. Damals tauchten bei vielen deutschen Soldaten dicke „Strohgaloschen“ auf, mit denen sie sich nur sehr langsam bewegen konnten. Trotzdem wiesen alle unsere Aufklärungsergebnisse darauf hin, daß die Deutschen ihre Umgliederung fast beendet hatten, und wir mußten damit rechnen, daß sie ihre Offensive bald wiederaufnehmen würden.

Die zusätzlichen Schützen- und Panzereinheiten, die wir aus der Reserve des Hauptquartiers erhalten hatten, wurden in den am meisten gefährdeten Abschnitten konzentriert – vor allem in den Räumen Wolokolamsk-Klin und Istra, wo wir den Hauptstoß der deutschen Panzerkräfte erwarteten. Die 17., 18., 20., 24. und 44. Kavalleriedivision traf zur Verstärkung der 16. Armee ein und wurde im Abschnitt Wolokolamsk-Klin eingesetzt, während weitere Einheiten in den Raum Tula-Serpuchow verlegt wurden, in dem wir mit einem Angriff der 2. Panzerarmee und der 4. Armee rechneten. Am 9. November trafen das Kavalleriekorps von General P. A. Below, die 415. Schützen- und 112. Panzerdivision und die 33. Panzerbrigade am linken Flügel der Front ein.

Ich muß an dieser Stelle darauf hinweisen, daß die Westfront zwar erheblich verstärkt worden war und Mitte November 1941 über sechs Armeen verfügte, aber in ihrem Verteidigungsraum nur wenig Tiefe aufwies – vor allem in der Frontmitte –, weil unsere Frontlänge über 600 Kilometer betrug. Deshalb versuchten wir in erster Linie, mit diesen Kräften die am meisten gefährdeten Abschnitte an den Flanken zu schützen und möglichst überall eine Frontreserve zu bilden, um in kritischen Lagen eingreifen zu können. Ein am 13. November erteilter Befehl des Obersten Befehlshabers zwang uns jedoch, unsere bisherigen Pläne teilweise grundlegend zu ändern. Stalin erkundigte sich am Telefon: „Wie verhält sich der Gegner?“

„Er beendet die Konzentration seiner Stoßtruppen und wird offenbar in nächster Zeit zur Offensive übergehen“, antwortete ich.

„Und wo erwarten Sie den Hauptschlag des Gegners?“

„Wir erwarten den stärksten Schlag aus dem Raum Wolokolamsk-Nowo Petrowskoje mit Stoßrichtung Klin und Istra. Die Armee Guderians will offenbar Tula umgehen und nach Wenew und Kaschira vorstoßen.“

„Schaposchnikow (der Chef des Generalstabs) und ich sind der Ansicht“, sagte Stalin, „daß man die erwarteten Vorstöße des Gegners durch präventive Gegenschläge vereiteln muß. Ein Gegenschlag muß im Raum nördlich von Wolokolamsk geführt werden, der andere aus dem Raum Serpuchow gegen die Flanke der deutschen 4. Armee. Offenbar werden dort starke Kräfte konzentriert, um gegen Moskau loszuschlagen."

„Womit sollen wir diese Gegenschläge führen?" fragte ich. „Die Westfront hat keine freien Kräfte. Wir können uns nur verteidigen."

„Nehmen Sie im Raum Wolokolamsk die Verbände des rechten Flügels der Armee Rokossowskis, die 58. Panzerdivision, die Selbständigen Kavalleriedivisionen und das Kavalleriekorps Dowator. Im Raum Serpuchow setzen Sie das Kavalleriekorps Below, Getmans Panzerdivision und einen Teil der Kräfte der 49. Armee ein", schlug Stalin vor.

„Das darf man jetzt nicht machen", sagte ich. „Wir können nicht die letzten Frontreserven für Gegenschläge benutzen, deren Erfolg zweifelhaft ist. Wir haben dann nichts mehr, um die Verteidigung zu verstärken, wenn der Gegner mit seinen Stoßgruppen zum Angriff übergeht."

„Ihre Front hat sechs Armeen. Ist das etwa wenig?"

Ich erwiderte, daß die Verteidigungslinie der Truppen der Westfront sehr dünn und mit allen Ausbuchtungen gegenwärtig über 600 Kilometer lang sei. Wir hätten besonders in der Frontmitte sehr wenig Reserven im Hinterland.

„Betrachten Sie die Frage der Gegenschläge als entschieden. Teilen Sie mir Ihren Operationsplan heute abend mit" – das war Stalins letztes Wort in dieser Sache.

Ich versuchte nochmals, Stalin von der Sinnlosigkeit eines Gegenangriffs mit unseren letzten Reserven zu überzeugen, und wies darauf hin, daß das Gelände nördlich von Wolokolamsk für einen Angriff ungeeignet sei. Aber Stalin legte auf.

Nach diesem Gespräch war ich deprimiert – natürlich nicht, weil der Oberste Befehlshaber anderer Meinung als ich gewesen war, sondern weil Moskau, das die Truppe bis zum letzten Blutstropfen zu verteidigen geschworen hatte, in größter Gefahr schwebte, während ich den kategorischen Befehl erhalten hatte, unsere letzten Reserven für äußerst zweifelhafte Gegenangriffe einzusetzen. Wenn wir sie verausgabten, hatten wir keine Möglichkeit mehr, schwache Stellen unserer Verteidigungslinie zu verstärken.

Innerhalb einer Viertelstunde kam das Mitglied des Militärrats, Bulganin, zu mir. Der Oberste Befehlshaber hatte ihn offenbar sofort nach dem Gespräch mit mir angerufen und gesagt: „Sie und Schukow, ihr spielt euch ganz schön auf. Aber wir werden euch schon auf die Finger sehen." Stalin hatte ihm befohlen, sofort zu mir zu gehen, um gemeinsam mit mir die Gegenschläge zu organisieren.

Innerhalb von zwei Stunden erteilte der Frontstab den Befehlshabern der 16. und 49. Armee sowie den Kommandeuren der einzelnen Verbände den Befehl, die Gegenangriffe zu führen, und erstattete Vollzugsmeldung ans Hauptquartier. Die Gegenschläge wurden geführt, aber das Hitler-Kommando erneuerte unmittelbar darauf die Offensive gegen Moskau. Der Ausgang der damaligen Schlacht ist dem Leser natürlich bekannt, so daß ich mich auf die Schilderung einiger Einzelheiten und Episoden beschränken möchte, die das große Bild abrunden können.

Bekanntlich führte der Gegner nordwestlich von Moskau einen Schlag gegen die linke Flanke der 30. Armee der Kalininfront, die südlich des „Moskauer Meers" sehr schwache Verteidigungsstellungen besetzt hielt; gleichzeitig griff er auch die rechte Flanke und die Mitte der 16. Armee der Westfront an. Dabei wurden über 300 Panzer gegen diese Armeen eingesetzt, die nur 56 leichte und schlecht bewaffnete Panzer aufbieten konnten.

Die Deutschen brachen bei der 30. Armee durch und begannen, ihre Offensive am Morgen des 16. November sehr rasch in Richtung Klin zu verstärken. Wir hatten dort keine Reserven stehen. Am gleichen Tag folgte ein starker feindlicher Schlag aus dem Raum Wolokolamsk gegen den Abschnitt Istra. Dort setzte der Gegner 400 mittelschwere und schwere Panzer ein, denen wir nur 150 leichte und mittelschwere Panzer entgegenstellen konnten.

Am 17. November um 23 Uhr wurde die 30. Armee der Kalininfront auf Weisung des Hauptquartiers der Westfront unterstellt, so daß sich unsere Verteidigungslinie noch weiter nach Norden bis zum Moskauer Meer ausdehnte. Am Abend des 23. November hatte der Gegner nach erbitterten Kämpfen Klin genommen und stieß in Richtung Dmitrow vor, während Teile seiner Panzerkräfte nach Solnetschogorsk eingeschwenkt hatten. Am 25. November zog die 16. Armee sich aus Solnetschogorsk zurück. Der Militärrat der

Front warf alle verfügbaren Kräfte aus anderen Abschnitten in diesen Raum und unterstellte sie General Rokossowski, darunter auch einzelne Züge und Gruppen von Soldaten mit Panzerbüchsen, einzelne Panzergruppen, Geschützbatterien und aus dem Raum Moskau abgezogene Flakbatterien.

Die Lage wurde kritisch. Unsere Verteidigungslinie war eingebuchtet, so daß vereinzelt schwache Stellen entstanden und es schien, als könnte jeden Augenblick etwas nicht Wiedergutzumachendes passieren. Aber es geschah nichts! Die sowjetischen Truppen kämpften äußerst tapfer und hielten die Stellung, bis die 7. Division mit zwei Panzerbrigaden und zwei Panzerjägerregimentern aus der Reserve des Hauptquartiers von Serpuchow kommend in den Raum Solnetschogorsk verlegt worden war. Nachdem diese Verstärkungen eingetroffen waren, bauten unsere Truppen erneut eine unüberwindliche Verteidigungsfront auf. In den ersten Dezembertagen ließen die Kampfweise und die Stärke der Angriffe darauf schließen, daß der Gegner bereits erschöpft war und nicht über die nötigen Kräfte und Mittel verfügte, um großangelegte Offensivvorstöße in diesem Abschnitt fortzuführen.

Die Ereignisse in anderen Abschnitten entwickelten sich nahezu ebenso dramatisch, denn dort holte der Gegner zu seinen Hauptschlägen aus. Die Divisionen des rechten Flügels der aus dem Raum Wolokolamsk angreifenden deutschen Gruppe erreichten am 2. Dezember das Gebiet acht Kilometer nordöstlich von Swenigorod, waren jedoch am nächsten Tag nicht zur Fortsetzung ihres Angriffs imstande. Zur Unterstützung dieses Angriffs ging der Feind am 1. Dezember in dem bis dahin ruhigen Abschnitt bei Naro-Fominsk zur Offensive über. Es gelang ihm, die Front der 33. Armee zu durchstoßen und den Raum Aprelewka zu erreichen, aber am 3./4. Dezember warfen Gegenangriffe der 5., 33. und 43. Armee die durchgebrochenen Feindkräfte aufs Westufer der Nara zurück.

In den Abschnitten Malojaroslawez und Serpuchow kämpften unsere Truppen vom 16. November bis 2. Dezember erbittert weiter, um die feindliche Offensive abzuwehren. Bis zum 30. November wurde in den Räumen Kaschira und Mordwes mit größtem Einsatz gekämpft; dann wies General Guderian seine 2. Panzerarmee an, zur Verteidigung überzugehen. Die sowjetischen Truppen wehrten sämtliche Angriffe des Gegners im Raum Tula ab, brachten ihm hohe Verluste bei und hinderten ihn daran, nach Moskau durchzubrechen.

Die Deutschen stießen ohne Rücksicht auf Verluste weiter vor, um zu versuchen, den Durchbruch nach Moskau mit ihren Panzerkeilen unter allen Umständen zu schaffen. Aber dank des guten Zusammenwirkens zwischen Verbänden und Einheiten aller Waffengattungen widerstanden unsere tiefgestaffelte Artillerie und die Panzerabwehr diesen stürmischen Angriffen. Viele Tausende von deutschen Gefallenen bedeckten die Schlachtfelder, aber es gelang dem Gegner an keiner Stelle, nach Moskau durchzubrechen. Während der Schlacht wurden sowjetische Verbände geordnet in vorbereitete Auffangstellungen zurückgenommen, in denen zuvor ihre Artillerie gestanden hatte, verteidigten sie wieder hartnäckig und wehrten wütende Angriffe ab.

Unterdessen arbeiteten in Moskau das Staatliche Verteidigungskomitee, Teile der Führungsspitze des Zentralkomitees der Partei und der Rat der Volkskommissare wie gewöhnlich. Die Moskauer Arbeiter versorgten mit einem 12- bis 18-Stunden-Tag die Fronten, die die Hauptstadt verteidigten, mit Waffen, Munition und technischem Gerät und setzten Gerät und Panzer instand.

Ich kann mich nicht genau an das Datum erinnern, aber es war sehr bald nach dem größten taktischen Durchbruch der Deutschen im Abschnitt der 30. Armee und auf dem rechten Flügel der Armee Rokossowskis, also vermutlich am 19. November, als Stalin mich anrief und fragte: „Sind Sie davon überzeugt, daß wir Moskau halten können? Es fällt mir nicht leicht, diese Frage auszusprechen. Antworten Sie mir aufrichtig, als Kommunist."

„Wir werden Moskau unter allen Umständen halten. Doch dazu brauchen wir mindestens noch zwei Armeen und 200 Panzer", war meine Antwort.

„Es ist gut, daß Sie so überzeugt sind", sagte Stalin. „Rufen Sie Schaposchnikow an und verständigen Sie sich mit ihm über die zwei Reservearmeen, die Sie haben möchten. Sie können Ende November einsatzbereit sein, aber Panzer haben wir vorläufig noch keine."

Nach einer halben Stunde hatte ich mich mit Schaposchnikow darauf geeinigt, daß die neuaufgestellte 1. Stoßarmee im Raum Jachroma und die 10. Armee im Raum Rjasan bereitgestellt werden sollten.

Am 5. Dezember hatten die deutschen Truppen sich in allen Abschnitten der Westfront verausgabt und begannen unter unseren Angriffen zur Verteidigung überzugehen. Das bedeutete im Grunde genommen, daß Hitlers Plan für einen Blitzkrieg fehlgeschlagen war. Die nicht erreichten strategischen Ziele an der deutsch-sowjetischen Front schwächten den Kampfgeist der deutschen Truppen und weckte in ihnen erste Zweifel, ob dieser Krieg noch zu gewinnen sei. Die Nazi-Führungsspitze war in den Augen der Weltöffentlichkeit bloßgestellt. Die von ihren Erfolgen in den Verteidigungsschlachten und bei der Verteidigung Moskaus angefeuerten sowjetischen Truppen gingen sofort zur Gegenoffensive über. Das war ein großes und freudiges Ereignis, das nicht nur das Sowjetvolk und seine Soldaten, sondern auch viele andere Menschen in aller Welt bewegte. Aber bevor ich davon spreche, möchte ich eine andere Frage anschneiden.

In einigen militär-historischen Abhandlungen wird behauptet, die Oktoberschlachten der Westfront, der Reservefront und der Brjanskfront gehörten nicht zum Komplex der Schlacht um Moskau. Ebenso wird behauptet, der Gegner sei Ende Oktober oder Anfang November an der Moschaisker Verteidigungslinie vollständig zum Stehen gebracht worden, so daß das Hitler-Kommando für den Vorstoß auf Moskau eine neue „Generaloffensive“ ausarbeiten mußte. Allen diesen Behauptungen kann ich keineswegs zustimmen.

Als das deutsche Oberkommando im Abschnitt Moskau unter dem Decknamen „Taifun“ den Oktoberangriff begann, rechnete es damit, die sowjetischen Truppen an den Schwerpunkten Wjasma-Moskau und Brjansk-Moskau zu zerschlagen und Moskau in kürzester Zeit durch einen Umfassungsangriff im Norden und Süden einzunehmen. Dieses strategische Ziel sollte in aufeinanderfolgenden Etappen durch eine Zangenbewegung erreicht werden. Die erste Einkesselung und Vernichtung sowjetischer Truppen war im Raum Brjansk-Wjasma vorgesehen; die zweite Einkesselung und die Eroberung Moskaus sollten durch aus Nordwesten über Klin und aus Süden über Tula und Kaschira vorstoßende Panzergruppen bewirkt werden, um die „Zange“ im Raum Noginsk zuschnappen lassen zu können.

Anfang Oktober hatten die Deutschen ihr erstes Ziel durch ihre Überlegenheit an Menschen und Material sowie die Ausnutzung der von den Fronten gemachten Fehlern vollständig erreicht. Ihr strategisches Endziel – die Eroberung Moskaus – erreichten sie jedoch nicht, weil die Masse ihrer Kräfte gegen die bei Wjasma eingekesselten sowjetischen Truppen (Einheiten der 16., 19., 20., 24. und 32. Armee sowie die Gruppe Boldin) eingesetzt werden mußte. Die beschränkten Kräfte, die der Gegner in den Kampf warf, um die Moschaisker Verteidigungslinie zu durchstoßen und in den Raum Moskau vorzudringen, konnten die sowjetischen Truppen lediglich auf die Linie Wolokolamsk-Dorochowo-Protwa-Nara-Alexin-Tula zurückdrängen, aber ihnen gelang es nicht, wie befohlen nach Moskau durchzubrechen.

Das Argument, im November hätten die Deutschen ihre Truppen personell und materiell beträchtlich auffüllen und einige Panzerverbände ihres linken Flügels umgruppieren müssen, rechtfertigt meiner Ansicht nach keineswegs den Schluß, sie hätten eine „neue Generaloffensive" vorbereiten müssen. Solche Maßnahmen sind bekanntlich bei jeder strategischen Offensive üblich und können deshalb nicht die Faktoren sein, die Anfang und Ende bezeichnen.

In der Nachkriegszeit bin ich wiederholt gefragt worden, wie es den sowjetischen Truppen gelungen sei, den Ansturm der stärksten deutschen Stoßgruppen in Richtung Moskau aufzuhalten. Über den Ablauf der Abwehrschlacht vor Moskau ist viel – meistens zutreffend – geschrieben worden. Als ehemaliger Befehlshaber der Westfront möchte ich jedoch selbst dazu Stellung nehmen.

Als das Hitlersche Oberkommando eine so komplizierte strategische Operation wie das Unternehmen „Taifun" plante, unterschätzte es die Kräfte, Kampfbereitschaft und Fähigkeit der Roten Armee bei der Verteidigung Moskaus gewaltig und überschätzte die Möglichkeiten der eigenen Truppen, die zusammengezogen worden waren, um unsere Verteidigungsfront zu durchstoßen und die sowjetische Hauptstadt zu erobern. Auch bei der Aufstellung der Stoßgruppen zur Durchführung der zweiten Phase des Unternehmens „Taifun" unterliefen ihm einige schwerwiegende Fehler. Ihre Stoßgruppen an den Flügeln, besonders die im Raum Tula kämpfenden, waren zu schwach und hatten nicht genug Infanterie.

Wie sich in der Praxis zeigte, war es falsch, unter den dort herrschenden Umständen allein auf Panzerverbände zu setzen, die abgekämpft waren, schwere Verluste erlitten und ihre Fähigkeit zum Durchbruch einbüßten.

Das deutsche Oberkommando versäumte es, im voraus für einen Fesselungsangriff in der Mitte unserer Front zu sorgen, obwohl ihm dafür genügend Kräfte zur Verfügung standen. So hatten wir die Möglichkeit, alle Reserven, darunter auch die Divisionsreserven, aus der Frontmitte an die Flügel zu verlegen und gegen die Stoßgruppen des Gegners einzusetzen. Ihre schweren Verluste, ihre mangelhafte Vorbereitung auf Winterkämpfe und der erbitterte Widerstand der sowjetischen Truppen wirkten sich stark auf die Kampfkraft des Gegners aus.

Bis zum 15. November war es unserer Feindaufklärung gelungen, eine Konzentration von Stoßgruppen des Gegners an den Flügeln unserer Verteidigungsfront zu erkennen und die Hauptangriffsabschnitte festzulegen. So stellten wir ihnen rechtzeitig eine tiefgestaffelte Verteidigung gegenüber, die verhältnismäßig gut mit Panzerabwehr- und Pionierkampfmitteln ausgestattet war; dort waren auch unsere stärksten Panzereinheiten konzentriert. Unseren Soldaten war zutiefst bewußt, daß sie persönlich für das Schicksal Moskaus und des Vaterlandes verantwortlich waren, und sie waren entschlossen, eher ihr Leben hinzugeben, als den Feind zur Hauptstadt durchbrechen zu lassen.

Eine große Rolle spielte die berühmte Verordnung des Staatlichen Verteidigungskomitees vom 19. Oktober 1941, durch die über Moskau und die umliegenden Gebiete der Belagerungszustand verhängt und zugleich ein entschlossener Kampf zur Durchsetzung striktester Disziplin und Ordnung in allen Moskau verteidigenden Teilstreitkräften ausgerufen wurde. Es gelang uns, die Führung der Truppe auf allen Befehls- und Stabsebenen erheblich zu straffen, was wiederum dazu beitrug, daß sie ihre Kampfaufträge präzise ausführte.

Die Riesenarbeit, die Verteidigungsoperationen der in der strategischen Westrichtung eingesetzten Verbände zu organisieren, wurde von der Operationsabteilung des Generalstabs und dem stellvertretenden Generalstabschef, Generalleutnant A. M. Wassilewski, bewältig. Seine zutreffende Beurteilung der Lage im Westabschnitt in der Zeit vom 2. bis 9. Oktober und seine praktischen Vorschläge bildeten die Grundlage der vom Hauptquartier getroffenen Entscheidungen. Die Generalstabsoffiziere aller Dienstgrade waren unermüdlich Tag und Nacht tätig, verfolgten alle Bewegungen der feindlichen Kräfte und machten kreative Vorschläge zur Beseitigung von Gefahrenpunkten.

Dem Gegner gelang es nicht, unsere Verteidigungsfront zu durchbrechen. Er konnte keine einzige unserer Divisionen einschließen oder auch nur eine Granate auf Moskau abfeuern. Anfang Dezember 1941 hatte er sich verausgabt und besaß keine Reserven, während die Westfront zu diesem Zeitpunkt vom Hauptquartier zwei neuaufgestellte Armeen sowie weitere Verbände zugewiesen erhielt, aus denen eine dritte Armee (die 20. Armee) aufgestellt wurde. Dadurch war das sowjetische Oberkommando in der Lage, eine Gegenoffensive zu organisieren.

Die sowjetische Gegenoffensive

Der deutsche Vorstoß nach Moskau war Ende November 1941 zum Stehen gebracht worden. Wie dicht er an die sowjetische Hauptstadt herangekommen war, ist an der nach Leningrad führenden Straße zwischen Moskau und dem Internationalen Flughafen Scheremetjowo zu sehen, wo ein Denkmal mit der Widmung „Den Verteidigern Moskaus" südlich der Straße die Hochwassergrenze des deutschen Ansturms bezeichnet: den Vorstoß nach Chimki durch Kradschützen des Panzer-Pionierregiments 62. Das Denkmal steht am Kilometerstein 23 – keine zwei Dutzend Kilometer vom Kreml entfernt.

Aber zum Zeitpunkt dieses kühnen Vorstoßes waren die Deutschen und Schukow sich darüber im klaren, daß der „Taifun" ausgeweht hatte. In den beim OKH eingereichten Gefechtsberichten der kämpfenden Truppe war im November immer wieder von erbittertem sowjetischen Widerstand die Rede; in den Berichten der SS-Division „Das Reich" hieß es beispielsweise, die Kämpfe am 19. und 20. November hätten zu den schwersten und blutigsten des gesamten Ostfeldzugs gehört. Es gab keine Kampfpausen und keine Anzeichen für ein Nachlassen der Kampfkraft des Gegners, als Moskau näherrückte. Schukows Soldaten hielten stand, kämpften gut und zogen sich vor deutscher Übermacht im allgemeinen geordnet zurück – oft heimlich und unbeobachtet im Dunkel der Nacht, wobei das Abrücken der Nachhut durch Detonationen und Brände angekündigt wurde, die nicht nur Brücken, sondern auch die Dörfer und Bauernhöfe vernichteten, in denen sie gelegen hatte und in denen die Deutschen Schutz vor der strengen Kälte der nächsten Nacht zu finden gehofft hatten. Diese hartnäckige Verteidigung wurde bei Stalingrad und Kursk geradezu ein Markenzeichen Schukows, und obwohl sie oft für ganze Einheiten ein kollektives Todesurteil bedeutete, stand außer Zweifel, daß sie sich zersetzend auf die Kampfmoral der Deutschen auswirkte.

Das Defensivstadium der Schlachten, an denen Schukow beteiligt war, ging jedoch weit über einen Abnützungskampf für Angreifer und Verteidiger nach Art des bei Verdun geführten hinaus. Die grimmige, oft durch Androhung schwerer Strafen für eigenmächtige Absetzbewegungen erzwungene Hartnäckigkeit der Verteidiger war keineswegs Selbstzweck. Sie war vielmehr ein Mittel, durch das die Reserven des Gegners in den Kampf gezogen und verbraucht werden konnten, bis die Offensive wegen Mangels an Menschenmaterial stockte und zum Erliegen kam. Wenn der Gegner dann zur Verteidigung übergehen wollte, ohne sich jedoch bereits eingegraben zu haben oder in vorbereitete Stellungen zurückgegangen zu sein, wurden die bis dahin sorgfältig gehegten sowjetischen Reserven – im Gegensatz zu den in vorderster Linie kämpfenden Einheiten, die meistens nur noch ein Schatten ihrer selbst waren – auf die Deutschen losgelassen: frische Truppen gegen abgekämpfte, vollzählige Einheiten gegen Überreste, um ihrerseits wieder vorwärtsgetrieben zu werden, bis sie nicht mehr konnten.

Die Bereitschaft, hohe Verluste in Kauf zu nehmen, um große Erfolge zu erzielen, war bei Schlachten dieser Größenordnung unerläßlich – jede von Schukow geführte Schlacht von Moskau bis Berlin sah auf beiden Seiten über eine Million Mann im Einsatz, und die Verluste waren jedesmal hoch. Aber es gab kaum sinnlose Verluste wie in so vielen Grenzschlachten, wie in den Kesseln von Bialystok, Minsk, Smolensk, Uman, Kiew und am Asowschen Meer oder dem Doppelkessel Wjasma und Brjansk, in denen jeweils 100000 bis über 500000 sowjetische Soldaten von oft lächerlich kleinen deutschen Verbänden eingekesselt und gefangengenommen wurden, ohne daß ihre Opfer sich wesentlich ausgewirkt hätten.

Schukows Kombination aus Rücksichtslosigkeit mit dem Bestreben, unnötige Verluste zu vermeiden, garantierte, daß auch die Wehrmacht Verluste erlitt, wie sie bis dahin nur die Rote Armee hatte hinnehmen müssen. Und er unterschied sich von vielen seiner Vorgänger darin, daß die von ihm zu verantwortenden Verluste sich auszahlten. In der Schlacht um Moskau erwies er sich als besonders brutal – zum Teil vielleicht aus den bereits erwähnten emotionalen Gründen, aber auch aus Mangel an Reserven. Wie er selbst geschildert hat, gab es keine zusätzlichen Panzer für die Gegenoffensive, deshalb mußten Kavallerie und Skitruppen als Angriffsspitzen eingesetzt werden; zugleich war es unmöglich, die drei in der Mitte der Westfront stehenden Armeen, die ohnehin schon ohne Panzer auskommen mußten, auch nur im geringsten personell oder materiell zu verstärken. Schukow erwähnt auch die damalige Munitionsknappheit, die so gravierend war, daß pro Geschütz und Tag nur ein bis zwei Granaten verschossen werden konnten.

Unter diesen Umständen war es eigentlich bemerkenswert, daß überhaupt eine Gegenoffensive stattfinden konnte – die noch dazu recht erfolgreich war, denn obwohl es zu keiner großen Einkesselung kam, war das Vorfeld Moskaus mit deutschem Material übersät, weil viele von Bocks Divisionen über drei Viertel ihrer Fahrzeuge und Geschütze einbüßten.

Die sowjetische Gegenoffensive war kein von langer Hand vorbereitetes Unternehmen wie die später bei Stalingrad, sondern entwickelte sich nach Schukows Darstellung aus den Gegenangriffen, mit denen die Heeresgruppe Mitte bis Ende November zum Stehen gebracht worden war. Selbst mit den Verstärkungen aus dem Fernen Osten und den neuen Reservedivisionen, die insgesamt drei Armeen ausmachten (1. Stoßarmee, 10. und 20. Armee), sowie den neun Schützen- und zwei Kavalleriedivisionen, acht Schützen-und sechs Panzerbrigaden, die das Hauptquartier Schukow für die Gegenoffensive unterstellte, war die Rote Armee dem Gegner zahlenmäßig keineswegs überlegen. Am 1. Dezember 1941 wies die Westfront eine Einsatzstärke von 577726 Mann auf, die Kalininfront war 118394 Mann stark, und der rechte Flügel der Südwestfront steuerte 63398 Mann bei, woraus sich eine Gesamtstärke von 759518 Mann ergab, die durch die Rückwärtigen Dienste und andere Nichtkombattanten auf 1060380 Mann anwuchs.

Eine deutsche Aufstellung von Kriegsgefangenen in den Monaten Juni bis Dezember 1941 zeigt, daß sich im Dezember 3350639 Soldaten der Roten Armee in deutscher Kriegsgefangenschaft befanden: reichlich dreimal mehr, als zur Verteidigung Moskaus zur Verfügung standen. Im Gegensatz dazu wurden in der Zeit vom 22. Juni bis 31. Dezember 1941 nur 35875 deutsche Soldaten als kriegsgefangen oder vermißt gemeldet, was erkennen läßt, daß während der sowjetischen Gegenoffensive keine große Einkesselung gelang. Tatsächlich waren die deutschen Ausfälle durch Erfrierungen im Winter 1941/42 mit 133620 Mann fast viermal höher. Trotzdem hatte die Wehrmacht eine schwere Niederlage erlitten und war zum Rückzug gezwungen worden – in manchen Abschnitten von Dezember 1941 bis März 1942 rund 400 Kilometer weit.

Schukows Kommentare über Versuche von deutscher Seite, für die Niederlage vor Moskau nicht die Rote Armee, sondern das Winterwetter verantwortlich zu machen, sind ebenso sarkastisch wie seine früheren Bemerkungen über den Schlamm. Er stellt fest, daß die deutschen Generale mit dem russischen Winter hätten rechnen müssen. Obwohl außer Zweifel steht, daß die Wehrmacht durch den Mangel an Winterkleidung schwer behindert war, wie die Zahl der Ausfälle durch Erfrierungen zeigt, und mit Schwierigkeiten zu kämpfen hatte, weil Gefrierschutzmittel, dünnflüssige Schmieröle und geeignetes Waffenfett für Patronen und Granaten fehlten (das verwendete fror fest, so daß jede Granate vor dem Laden saubergekratzt werden mußte, worunter die Schußgeschwindigkeit litt), muß fairerweise gesagt werden, daß diese Schwierigkeiten selbstverschuldet waren. Der deutsche Rußlandfeldzug war auf einen raschen Erfolg ausgelegt, und die Verantwortlichen hatten keine Vorbereitungen für eine Fortsetzung der Kämpfe in den Winter hinein getroffen.

Seit der Ausarbeitung des „Marcks-Plans“ hatte man auf deutscher Seite damit gerechnet, daß die Russen vor Eintritt der *Rasputiza* in Schlachten, die größtenteils westlich von Düna und Dnjepr stattfinden sollten, geschlagen sein würden. Nach der Schlacht bei Smolensk hätte klar sein müssen (das Hitler von Halder im Juli und am 1. Dezember 1941 vorgelegte OKH-Zahlenmaterial sprach eine deutliche Sprache), daß dieses Ziel nicht erreicht worden war, weil die „Barbarossa“-Strategen die verfügbaren sowjetischen Reserven gewaltig unterschätzt hatten. Zu diesem Zeitpunkt war es vermutlich schon nicht mehr möglich, das Unternehmen abzublasen, selbst wenn die Generale dies gewollt hätten – eine Absicht, die nach dem Krieg von vielen und während des Kriegs nur von wenigen deutschen Generalen geäußert wurde. Aber es war vermutlich noch nicht zu spät, Vorbereitungen für eine zweckmäßige Bekleidung und Ausrüstung der deutschen Truppen im bevorstehenden Winter zu treffen; Guderian berichtete jedoch, obwohl er rechtzeitig Winterbekleidung für die Truppe angefordert habe, sei

keine geliefert worden, so daß viele seiner Soldaten bei -40° C vor Moskau noch ihre Drillichuniformen getragen hätten.

Auch wenn die Stärke der Roten Armee ein gutgehütetes Geheimnis gewesen war, konnte man das von der Strenge des russischen Winters kaum behaupten, und Schukows Sarkasmus ist in diesem Punkt vielleicht gerechtfertigt. Darüber hinaus steht unbestreitbar fest, daß seine Soldaten zwar ebenso wenig immun gegen die Kälte wie die Deutschen, aber zumindest eher daran gewöhnt, entsprechend bekleidet und mit Gerät ausgerüstet waren, das auch bei starkem Frost noch funktionierte. Außerdem bezeugen zahlreiche deutsche Berichte, daß die zurückgehenden Kräfte der Roten Armee systematisch alle Gebäude zerstörten, die den Deutschen hätten Schutz bieten können, was wiederum beweist, daß die Sowjets die deutschen Schwierigkeiten erkannten und geschickt ausnützten – wie es zu den Grundzügen erfolgreicher Kriegsführung gehört.

Schukow vergeudet wenig Zeit mit Spekulationen über hypothetische Möglichkeiten, mit denen sich in der Nachkriegszeit eine ganze Anzahl deutscher Generale und westlicher Militärhistoriker beschäftigt haben. Beispielsweise befaßt er sich nicht mit der Möglichkeit, daß der deutsche Angriff auf Moskau hätte zum Erfolg führen können, wenn er im ganzen Sommer- und Herbstfeldzug energisch verfolgt worden wäre. Schukow äußert lediglich die Ansicht, das Unternehmen „Taifun" sei in Anlage und Ausführung fehlerhaft gewesen, weil Guderians in Richtung Tula angreifende Kräftegruppe, die Moskau im Süden umgehen sollte, für diese Aufgabe zu schwach – vor allem an Infanterie – gewesen sei, und daß das Ausbleiben eines deutschen Angriffs gegen die Mitte seiner Westfront ihm die Möglichkeit gegeben habe, alle seine Reserven an den Flügeln gegen die angreifenden Panzerkräfte einzusetzen. Er geht dabei nicht auf Guderians Argument ein, wenn ihm nicht der Vorstoß nach Süden – nach Lochwiza – befohlen worden wäre, hätte das Unternehmen „Taifun" so rechtzeitig beginnen können, daß die meisten Ziele vor Einbruch der *Rasputiza* erreicht worden wären.

Es ist wahrscheinlich angebracht, Schukows Beispiel zu folgen, obwohl diese Zurückhaltung erläutert werden muß. Für sie spricht ganz einfach die Tatsache, daß es bei der Schilderung einer komplexen Interaktion zwischen feindlichen Parteien, wie sie ein Krieg darstellt, nicht möglich ist, nur *eine* Variable zu verändern. Der Krieg besteht keineswegs nur aus schematisch zu lösenden mathematischen Aufgaben; das Verhalten beider Seiten wird jeweils durch das der Gegenseite beeinflußt. Hätte die Heeresgruppe Mitte einen anderen Plan verfolgt, hätte auch die Stawka anders reagiert. Beispielsweise hätte ein früherer Beginn des Unternehmens „Taifun" den Verzicht auf die Einkesselung von Kirponos' Armeen bei Kiew bedeutet, so daß dem sowjetischen Oberkommando weitere 500- bis 600000 Mann zur Verfügung gestanden hätten, mit denen es die Flanke der Heeresgruppe Mitte hätte gefährlich bedrohen können. Außerdem hätte dann die Panzergruppe 4 früher von der Leningradfront abgezogen werden müssen, wodurch sich dort der Angriffsdruck verringert hätte, der Stalin dann veranlaßte, Schukow nach Leningrad zu entsenden. Schukow, der damals eben erst die Deutschen aus dem Jelnja-Bogen vertrieben hatte, wäre dann mit starken Kräften in der Lage gewesen, in die Flanke jeder deutschen Kräftegruppe vorzustoßen, die an der Reservefront vorbei in Richtung Osten angegriffen hätte.

Hitlers Haltebefehl, gegen den sich die meisten deutschen Generale ursprünglich aussprachen, wurde später von vielen dieser Generale als richtig akzeptiert, weil er verhindert habe, daß der deutsche Rückzug in eine wilde Flucht ausgeartet sei. Nachdem Hitler diesmal recht behalten hatte, erhob er ihn jedoch zum Prinzip: Indem er sich im Jahr darauf weigerte, der in Stalingrad eingeschlossenen 6. Armee den Rückzug oder auch nur den Ausbruch zu den von Hoth herangeführten Entsatzkräften zu gestatten, verurteilte er den Entsatzversuch zum Scheitern und die 6. Armee und die 4. Panzerarmee zur Vernichtung. Die Methode, die 1941 vor Moskau vermutlich entscheidend dazu beitrug, große Teile der Heeresgruppe Mitte vor der Vernichtung durch Schukows Kräfte zu bewahren, trug 1942 in Stalingrad vermutlich dazu bei, den Triumph des Marschalls noch zu vergrößern.

Marschall G. K. Schukows Bericht über die sowjetische Gegenoffensive und die allgemeine strategische Offensive im Winter 1941/42:

Wenn wir vom Übergang der sowjetischen Kräfte vor Moskau von der Verteidigung zum Angriff sprechen, müssen wir uns unbedingt an die speziellen Umstände der Lage erinnern, die Ende November und Anfang Dezember 1941 im westlichen strategischen Abschnitt entstanden war. Zu diesem Zeitpunkt waren die deutschen Kräfte, die nordwestlich von Moskau und im Raum Tula mit dem Ziel angegriffen hatten, den Widerstand an den Flügeln der Westfront zu brechen und Moskau einzuschließen und zu erobern, körperlich und geistig abgekämpft und an einer sehr langen Front auseinandergezogen. Da die Deutschen weder operative noch taktische Reserven besaßen, konnten sie bereits nicht mehr darauf zählen, ihre Offensive siegreich beenden zu können, obwohl sie mit den Resten ihres Angriffsschwungs weiterhin Druck auf unsere Verteidigungslinien ausübten. In ihrem Rücken wurde die Partisanenbewegung ständig aktiver.

Die Lage der Verteidiger blieb jedoch äußerst gespannt und gefährdet, denn die sowjetischen Kräfte, die ebenfalls hohe Verluste erlitten hatten, hatten den Gegner noch nicht völlig zum Stehen bringen können. Der Feind näherte sich der Schwelle unserer Hauptstadt, und an einigen Punkten war die vordere sowjetische Verteidigungslinie nur mehr 31 Kilometer von ihr entfernt. Deshalb konnte das sowjetische Oberkommando den eigentlichen Zweck der Abwehrschlacht noch nicht als erreicht betrachten: Der Gegner mußte endgültig und unter allen Umständen zum Stehen gebracht werden.

Angesichts dieser besonderen Lage entwickelte sich die Gegenoffensive der sowjetischen Kräfte vor Moskau aus der eigentlichen Abwehrschlacht heraus. Sie war eine Fortsetzung der Ende November und Anfang Dezember einsetzenden Gegenangriffe unserer Truppen an den Flügeln der Westfront, und ihre Durchführung wurde verbessert und präziser gestaltet, während die Gegenangriffe fortdauerten.

Ende November hatten weder das Hauptquartier noch die Fronten – auch nicht die Westfront, deren Truppen die tatsächlichen Verteidiger Moskaus waren – einen Plan für eine Gegenoffensive ausgearbeitet. Damals konzentrierten sich alle unsere Gedanken und Taten ausschließlich darauf, die Hauptstreitmacht des Gegners, die so tief in unsere Verteidigungslinien eingebrochen war, zum Stehen zu bringen und ihr eine solche Niederlage beizubringen, daß sie zur Aufgabe ihrer Offensive gezwungen sein würde.

Am 29. November rief ich Stalin an, meldete ihm die Lage und bat ihn, der Westfront die 1. Stoßarmee und die 10. Armee zu unterstellen, damit wir den Gegner wirksamer schlagen und möglichst weit nach Moskau abdrängen könnten. Stalin hörte mir aufmerksam zu und fragte dann: „Sind Sie davon überzeugt, daß der Gegner bereits die Krise erreicht hat und nicht mehr imstande ist, irgendeine neue große Kräftegruppe in den Kampf zu werfen?"

Ich antwortete, der Gegner sei erschöpft, doch die Truppen der Westfront seien ohne Einsatz frischer Kräfte nicht in der Lage, seine gefährlichen Einbrüche zu liquidieren. Wenn das nicht gleich geschehe, könne der Gegner seine Truppen im Raum Moskau durch große Reserven auf Kosten der Heeresgruppen Nord und Süd verstärken – und das könne unsere Lage erheblich komplizieren.

Der Oberste Befehlshaber wollte sich mit dem Generalstab darüber beraten. Auf meinen Befehl telefonierte General Sokolowski, der Stabschef der Front, der ebenfalls der Ansicht war, daß es Zeit sei, die Masse der 1. Stoßarmee und der 10. Armee einzusetzen, mit dem Generalstab und sprach sich für die möglichst rasche Unterstellung dieser Reservearmeen unter das Frontkommando aus. Am Spätabend des 29. November wurde uns die Entscheidung des Hauptquartiers durchgegeben: Die Westfront sollte die 1. Stoßarmee, die 10. Armee und alle Verbände, aus denen die 20. Armee aufgestellt worden war, zur Verfügung erhalten. Gleichzeitig verlangte das Hauptquartier von uns einen Operationsplan für diese Armeen.

Am 30. November vor Tagesanbruch rief Stalin an und wollte wissen, was der Militärrat von einer Gegenoffensive mit sämtlichen Kräften der Westfront halte. Ich antwortete, daß unsere Kräfte und Ausrüstung noch nicht für eine Gegenoffensive dieser Art ausreichten, die sich jedoch vielleicht aus unseren Gegenangriffen an den Flügeln der Front entwickeln lasse.

Den ganzen 30. November lang arbeitete der Frontstab an einem Plan für eine Gegenoffensive mit den uns unterstellten Armeen. Die getroffenen Entscheidungen lassen sich folgendermaßen zusammenfassen: Je nach dem Zeitbedarf für Heranführung und Bereitstellung der 1. Stoßarmee sowie der 10. und 20. Armee würde die Front am 3. oder 4. Dezember 1941 mit ihrer Gegegenoffensive beginnen können. Die vordringlichste Aufgabe würde die Zerschlagung der größten feindlichen Kräftegruppe auf dem rechten Flügel, indem in Richtung Klin, Solnetschnogorsk und im Istra-Abschnitt angegriffen wurde, und die Vernichtung der deutschen Kräfte auf dem linken Flügel durch Angriffe in Richtung Uslowaja und Bogorodizk sein, die auf Flanke und Rücken von Guderians Armee zielen würden. Die Armeen in der Mitte der Westfront würden am 4. oder 5. Dezember mit dem beschränkten Ziel zur Offensive übergehen, die vor ihnen stehenden feindlichen Kräfte zu fesseln, so daß der Gegner sie nicht in andere Abschnitte verlegen konnte.

Bis die Gegenoffensive begann, verfolgten wir das Ziel, den deutschen Vormarsch nordwestlich von Moskau und im Abschnitt Kaschira zum Stehen zu bringen; dafür setzten wir unsere dort vorhandenen Kräfte sowie gleich nach ihrem Eintreffen die Vorausabteilungen der uns aus der Reserve des Hauptquartiers unterstellten Verbände ein.

Unser in eine Karte eingezeichneter Vorschlag für eine Gegenoffensive wurde am 30. November mit schriftlichen Erläuterungen ans Hauptquartier weitergegeben, und Stalin bestätigte ihn unverändert. Daraufhin erhielten die Verbände folgende Aufgaben zugewiesen:

Die 1. Stoßarmee (Generalleutnant Kusnezow) sollte die über den Wolga-Moskwa-Kanal vorgestoßenen Feindkräfte vernichten, sich mit sämtlichen Kräften im Raum Dmitrow-Jachroma bereitstellen und gemeinsam mit der 20. und 30. Armee in Richtung Klin und dann in Richtung Terjajewa Sloboda vorgehen; die 30. Armee erhielt den Auftrag, den Gegner im Raum Rogatschewo-Borschtschewo zu schlagen, gemeinsam mit der 1. Stoßarmee das Gebiet Reschetnikowo-Klin zu erobern und in Richtung Kostljakowo und Lotoschino vorzustoßen; die 20. Armee sollte aus dem Gebiet Krasnaja Poljana-Bely Rast gemeinsam mit der 1. Stoßarmee und der 16. Armee in Richtung Solnetschnogorsk angreifen, die Stadt im Süden umgehen und weiter in Richtung Wolokolamsk vorstoßen; der rechte Flügel der 16. Armee sollte darüber hinaus nach Krjukowo und weiter bis zur Istra vorgehen; die im Raum Tula in Abwehrkämpfe verwickelte 50. Armee erhielt den Auftrag, in Richtung Bolochowo und Schtschekino anzugreifen und ihr weiteres Vorgehen von der Entwicklung der dortigen Lage abhängig zu machen. Die Operative Gruppe Below würde gemeinsam mit der 50. und 10. Armee aus dem Raum Mordwes in Richtung Wenew und weiter in Richtung Stalinogorsk (Nowomoskowsk) und Dedilowo angreifen; die entlang der Linie Serebrjanje Prudy-Michailow stehende 10. Armee sollte nach Uslowaja und Bogorodizk vorstoßen und ihren Angriff südlich des Flusses Upa fortsetzen.

Auf diese Weise wurden die uns unterstellten zusätzlichen Kräfte der drei Armeen gegen die nördlichen und südlichen Gruppierungen der Deutschen eingesetzt.

Die vier die Mitte der Westfront verteidigenden Armeen (5., 23., 43. und 49. Armee) erhielten den Auftrag, durch ihre Kampftätigkeit den Gegner in diesem Abschnitt zu fesseln, um ihn an Truppenverschiebungen zu hindern. Da diese Armeen sehr geschwächt waren, konnten sie nicht zu entscheidenderen Schlägen eingesetzt werden.

Unser Nahziel war, kurz gesagt, die Beseitigung der Moskau drohenden Gefahr, und wir hatten die Absicht, den Armeen ihre weiteren Aufgaben je nach Entwicklung der Lage zuzuweisen. Mit den verfügbaren Kräften konnten wir den Verbänden der Westfront nicht sofort weitreichendere und entscheidendere Aufgaben zuweisen. Tatsächlich war die Westfront dem Gegner – Flugzeuge ausgenommen – trotz der Unterstellung weiterer drei Armeen zahlenmäßig unterlegen; bei Panzern und Geschützen lag das Übergewicht sogar beim Feind. Dieser Umstand war für die Situation vor Moskau zum damaligen Zeitpunkt charakteristisch.

Als Stalin eines Tages mit mir telefonierte (meiner Erinnerung nach am Morgen des 2. Dezember 1941), fragte er: „Wie beurteilt die Front den Gegner und seine Fähigkeiten?" Ich antwortete, der Feind sei nunmehr endgültig außer Atem. Er sei offensichtlich nicht mehr imstande, seine Stoßgruppen durch Reserven zu verstärken, ohne die jedoch keine Fortsetzung der deutschen Offensive denkbar sei. „Gut", sagte der Oberste Befehlshaber. „Ich rufe Sie wieder an." Damit war mir klar, daß das Hauptquartier weitere Operationen mit unseren Kräften plante.

Etwa eine Stunde später rief der Oberste Befehlshaber erneut an und erkundigte sich, was die Front in den nächsten Tagen zu tun beabsichtige. Ich meldete, daß die Truppe dabei sei, sich wie vorgesehen auf eine Gegenoffensive vorzubereiten.

Hauptquartier und Generalstab überlegten damals, wie sich gleichzeitige Operationen anderer Fronten (der Kalininfront und des rechten Flügels der Südwestfront) organisieren ließen, um die Westfront soweit irgend möglich zu unterstützen und mit den uns zur Verfügung stehenden beschränkten Kräften mehr Wirkung zu erzielen. Generalleutnant A. M. Wassilewski, der stellvertretende Generalstabschef, hatte in einem Telefongespräch mit dem Befehlshaber der Kalininfront, Generaloberst I. S. Konjew, am 1. Dezember einschlägige Überlegungen geäußert. „Wir können den deutschen Angriff auf Moskau nur abwehren“, stellte er fest, „und dadurch nicht nur die Hauptstadt retten, sondern auch eine ernstliche Niederlage des Gegners einleiten, indem wir zu aktiven Operationen mit bestimmter Zielsetzung übergehen. Tun wir das nicht innerhalb der nächsten Tage, ist's zu spät. Die Kalininfront, die sich für diesen Zweck in äußerst günstiger operativer Stellung befindet, darf nicht untätig bleiben.“

In einem Telefongespräch am 2. Dezember erfuhr ich von Stalin, daß die Kalininfront sowie der rechte Flügel der Südwestfront Befehl erhalten hatten, unsere Schläge – die zugleich mit denen der anderen Fronten erfolgen sollten – zu unterstützen.

Am Spätabend des 4. Dezember rief der Oberste Befehlshaber mich an und fragte: „Womit können wir Ihre Front – abgesehen von dem, was wir Ihnen schon gegeben haben – noch helfen?“

Unter Berücksichtigung unserer damals äußerst beschränkten Möglichkeiten ist es verständlich, daß wir nicht allzu viel verlangen konnten. Deshalb dachte ich vor allem daran, daß wir Luftunterstützung durch die Luftstreitkräfte der Reserve des Hauptquartiers und die Luftverteidigung des Vaterlands brauchten. Selbstverständlich waren auch mindestens 200 Panzer mit ausgebildeten Besatzungen dringend erforderlich, wenn wir unsere Offensive rasch vorantragen sollten, denn die Front besaß nur sehr wenige Panzer.

„Wir haben keine Panzer und können Ihnen keine geben“, erwiderte Stalin, „aber Sie bekommen Luftverstärkung. Verständigen Sie sich mit dem Generalstab. Ich rufe sofort dort an. Bedenken Sie, daß die Kalininfront am 5. Dezember zur Offensive übergeht.

Am 6. Dezember tritt dann die operative Gruppe des rechten Flügels der Südwestfront im Raum Jelez zum Angriff an."

So sahen die Umstände aus, die Art und Umfang der sowjetischen Operationen Ende November und Anfang Dezember 1941 mitbestimmten.

Als wir in den letzten November- und ersten Dezembertagen den Widerstand gegen den Feind organisierten und dann zu einer aktiveren Form – Gegenangriff – übergingen, hatten wir keine bestimmte Vorstellung davon, daß die von uns geplante Gegenoffensive so umfangreich werden würde, wie sie sich später erwies. Die von uns am 30. November festgelegten ersten Ziele unserer Gegenoffensive verfolgten einen wichtigen, aber trotzdem noch beschränkten Zweck: Sie sollten diejenigen Feindkräfte zurückdrängen, die einem Durchbruch nach Moskau am nächsten zu sein schienen. Wir rechneten damit, daß unsere Truppen im Norden etwa 60 Kilometer und im Süden rund 150 Kilometer weit vorstoßen würden. Im Zuge der Anfang Dezember geführten Gegenangriffe zeigte sich jedoch, daß der Gegner durch die vorangegangenen Schlachten so abgekämpft und geschwächt war, daß er nicht nur auf eine Fortführung seiner Offensive verzichten mußte, sondern nicht einmal zum Aufbau einer stabilen Verteidigung imstande war.

Als die Deutschen auf dem linken und vor allem dem rechten Flügel unserer Front zurückwichen, begann der Frontstab, die Wucht unserer Angriffe in Breite und Tiefe zu verstärken, indem er Einzelbefehle erteilte, so daß die Gegenoffensive am 5./6. Dezember bereits eine Realität war. Aber soweit ich mich erinnere, wurde kein Sonderbefehl und keine allgemeine Weisung für eine Gegenoffensive erteilt. Die unmittelbaren sowie die langfristigeren Kampfaufträge der Truppe basierten auf nacheinander erteilten Befehlen des Frontstabs.

So gab es keinen genau festgelegten Beginn der Gegenoffensive vor Moskau, wie dies später beispielsweise bei Stalingrad der Fall war. Sie entwickelte sich aus Gegenangriffen: Die Luftangriffe wurden verstärkt, zusätzliche gemischte Verbände griffen in den Kampf ein, und so entwickelte sich alles weiter. Unsere Gegenoffensive war ganz von den vorausgegangenen Entwicklungen abhängig; einerseits rieben unsere Truppen im Mittelabschnitt den

Gegner auf und nahmen ihm die Möglichkeit, das begonnene Unternehmen fortzuführen; andererseits zogen wir vor Moskau Kräfte zusammen, die wir im entscheidenden Augenblick einsetzen konnten, um die gefährlichsten deutschen Kräftegruppen zunächst zurückzuwerfen und dann auftragsgemäß zu vernichten.

In jenen Tagen herrschte im mittleren Rußland strengster Frost. Der tiefe Schnee und die Kälte behinderten Konzentration, Umgruppierung und Bereitstellung der Truppen ernstlich. Trotzdem überwanden unsere heldenhaften Soldaten und Offiziere aller Waffengattungen diese nie dagewesenen Schwierigkeiten und standen zum befohlenen Zeitpunkt bereit, um die ihnen erteilten Kampfaufträge auszuführen.

Marschall Schukows Bericht über die sowjetische Gegenoffensive der Westfront:

Nach konzentrierten Luftangriffen und Artillerievorbereitung gingen die Truppen der Westfront am 6. Dezember 1941 nördlich und südlich von Moskau zur Gegenoffensive über. Daraus entwikkelte sich eine Schlacht, in der die Initiative allein in den Händen der sowjetischen Truppen lag. Unterdessen hatten Verbände der Kalininfront, die ihre Offensive einen Tag früher begonnen hatte, die feindlichen Stellungen südlich von Kalinin durchbrochen.

Am 13. Dezember erreichten die 1. Stoßarmee sowie Teile der 30. Armee die Stadt Klin. Unsere Truppen schlossen sie von allen Seiten ein, drangen nach erbitterten Kämpfen dort ein und vertrieben die Deutschen in der Nacht zum 15. Dezember aus Klin.

Auch die Offensivoperationen der 16. und 20. Armee waren erfolgreich. Am Abend des 9. Dezember hatte die 20. Armee Solnetschogorsk erreicht, während die 16. Armee am 8. Dezember Krjukowo befreite und ihren Angriff in Richtung Istra-Stausee fortsetzte. Am 12. Dezember vertrieb die 20. Armee den Feind aus Solnetschnogorsk. Der Vorstoß des rechten Flügels der 5. Armee trug erheblich zum Erfolg der 16. Armee bei. Die Militäroperationen des rechten Flügels der Westfront gingen ohne Unterbrechung weiter.

Auf dem linken Flügel der Front, im Raum Tula, unterstützten Teile der 50. Armee einen am 3. Dezember beginnenden Angriff von General P. A. Belows verstärktem Kavalleriekorps und machten sich gemeinsam daran, Guderians Panzerarmee zu zerschlagen.

Die 3. und 17. Panzer- und 29. Infanteriedivision (mot.) dieser Armee begannen eine hastige Absetzbewegung nach Wenew und ließen rund 70 Panzer auf dem Schlachtfeld zurück. Zum Erfolg unserer Truppen trug hier die Tatsache bei, daß die deutsche 2. Panzerarmee bei ihrem Bemühen, Tula weiträumig zu umgehen, zu sehr auseinandergezogen worden war und keine Reserven mehr besaß, als unsere linke Flügelgruppe angriff. Am 6. Dezember griff auch unsere 10. Armee im Raum Michailow in die Kämpfe ein; dort versuchte der Gegner, seine Stellungen zu halten, um die Flanke von Guderians zurückgehender 2. Panzerarmee zu decken.

Der Angriff von Verbänden der 50. Armee, der am 8. Dezember aus dem Raum Tula folgte, bedrohte den Rückzug der deutschen Kräfte aus Wenew und Michailow. Die an ihren Flanken tief umfaßte Armee Guderians, die nicht stark genug war, um die Gegenangriffe der Westfront und der Kampfgruppe der Südwestfront abzuwehren, begann einen hastigen Rückzug in Richtung Uslowaja, Bogorodizk und weiter nach Suchinitschi. In ihrer Panik ließen die Deutschen schwere Waffen, Kraftfahrzeuge, Zugmaschinen und sogar Panzer zurück. In zehntätigen Kämpfen brachten die Truppen des linken Flügels der Westfront Guderians 2. Panzerarmee eine schwere Niederlage bei und erzielten 130 Kilometer Geländegewinn. Bei den Gegenangriffen sowie in der sich anschließenden Gegenoffensive zeichneten sich vor allem Belows verstärktes Kavalleriekorps, die 112. Panzerdivision (Oberst A. L. Getman) und die Operative Gruppe der 50. Armee (Generalmajor W. S. Popow) aus.

Unter den Schlägen sowjetischer Verbände wich der Gegner nach Westen zurück, und am 12. Dezember konnte der Militärrat der Westfront dem Obersten Befehlshaber melden: „Am 6. Dezember 1941 haben unsere Truppen, die den Gegner in vorausgegangenen Schlachten zermürbt hatten, eine entscheidende Offensive gegen seine Flügelstoßgruppen begonnen. Durch diese Offensive sind beide Gruppen geschlagen worden und ziehen sich hastig zurück, wobei sie Waffen und Gerät zurücklassen und ungeheure Verluste erleiden."

Der Operativplan für die Verbände der Westfront, wie er in den vom 13. bis 24. Dezember erteilten Weisungen zum Ausdruck kam, sah einen raschen Vorstoß des rechten Flügels bis zur Linie

Subzow-Gschatsk und des linken Flügels bis zur Linie Polotnjany Sawod-Koselsk vor; gleichzeitig standen die Truppen der Frontmitte tief gestaffelt an der Linie Moschaisk-Malojaroslawez. Mit anderen Worten wollten wir eine Situation herbeiführen, in der unsere Gruppen, die auf dem rechten und linken Flügel der Front vorgestoßen waren, die Voraussetzungen für eine Einkesselung der Masse der deutschen Heeresgruppe Mitte schaffen konnten.

Ich werde manchmal gefragt, weshalb die Armeen in der Mitte der Westfront (33., 43. und 49. Armee) nicht an den Gegenschlägen teilnahmen und dann während der Gegenoffensive nur sehr langsam vorrückten. Tatsächlich mußten wir im entscheidenden Stadium unsere Armeen auf den Flügeln verstärken, damit sie ihre wichtigen Aufträge ausführen konnten. Wir mußten buchstäblich alles nur irgendwie Entbehrliche aus der Frontmitte abziehen und an die Flügel verlegen, und selbst nach Beginn der Gegenoffensive erhielten die mittleren Armeen keinen einzigen zusätzlichen Soldaten, kein einziges Geschütz und kein einziges MG. Sie waren nicht zu konzentrierten Angriffen imstande und mußten deshalb abwarten, wie die Dinge sich entwickeln würden.

Erst als die Flanken des Gegners bedroht waren und er seinen hastigen Rückzug zu den Flüssen Rusa und Lama begann, während ihm zugleich die 10. und 50. Armee sowie die Gruppe Below schwer zusetzten, bot sich eine Möglichkeit, die 33., 43. und 49. Armee nach einiger Umgliederung zum Angriff übergehen zu lassen. Ihre langsame und wenig erfolgreiche Offensive findet ihre Erklärung aüch durch die Tatsache, daß sie keine Panzer und nicht genügend Artillerie besaßen. Alle Offensivkräfte der Westfront waren an den Flügeln konzentriert, um dort möglichst rasch vorstoßen und die Masse der Heeresgruppe Mitte mit Einkesselung bedrohen zu können.

Die Luftstreitkräfte der Front und der Luftverteidigung sowie die Fernbomber trugen entscheidend zum Erfolg unserer Gegenoffensive im Dezember 1941 vor Moskau bei. Ihre Besatzungen kämpften aufopfernd und geschickt. Dank der gemeinsamen Anstrengungen von Front-Luftwaffe, Luftverteidigung und Fernbombern gelang es erstmals seit Kriegsausbruch, dem Gegner die Luftherrschaft zu entreißen. Unsere Luftstreitkräfte griffen systematisch feindliche Artilleriestellungen, Panzertruppen und Gefechtsstände an, und als die deutschen Armeen zurückzuweichen begannen, griffen unsere Flugzeuge die zurückgehenden Kolonnen unablässig mit Bomben und Bordwaffen an. Daher waren alle nach Westen führenden Straßen mit von den Deutschen aufgegebenen Waffen und Kraftfahrzeugen verstopft.

Im allgemeinen setzten wir unsere eigenen und die uns unterstellten Luftstreitkräfte zusammengefaßt so ein, daß sie etwa drei Viertel ihrer Einsätze zur Erdkampfunterstützung am rechten Flügel der Westfront flogen. Die restlichen verfügbaren fliegenden Verbände sowie die uns aus der Reserve des Hauptquartiers zugewiesenen drei Fliegerdivisionen unterstützten Belows Kavalleriedivisionen sowie die Einheiten der 10. und 50. Armee aus der Luft. Geleitet wurden die Luftangriffe aus dem Gefechtsstand des Befehlshabers der Front-Luftstreitkräfte, Generalmajor der Flieger S. A. Chudjakow, der sich in Perkuschkowo neben meinem eigenen befand. Während der Abwehrschlachten und der gesamten Gegenoffensive war General Chudjakow stets an meiner Seite. Er verstand seine Sache ausgezeichnet und konnte Luftangriffe rasch und präzise veranlassen, wann und wo sie gebraucht wurden. Auch der Kommandeur der Fliegerkampfgruppen, Generalleutnant I. F. Petrow, sowie die übrigen Luftwaffenkommandeure bewährten sich sehr gut.

Da ich erwähnt habe, daß Stab und Gefechtsstand der Westfront sich in Perkuschkowo befanden, möchte ich bei dieser Gelegenheit eine Frage beantworten, die mir manchmal gestellt wird: „Wie erklären Sie die Tatsache, daß Ihr Frontstab und die Armeestäbe sich vor allem Ende November und Anfang Dezember so dicht hinter der Hauptkampflinie befanden?“ Tatsächlich befanden sich alle Stäbe – der Front, der Armeen, Divisionen und Einheiten – damals äußerst dicht hinter unserer Hauptkampflinie, was den üblichen Gepflogenheiten widersprach, die Sicherheitsmaßnahmen zum Schutz von Kommandeuren und ihren Stäben vorsehen. Die Erklärung dafür liegt jedoch wieder in der Eigenart und Einzigartigkeit der damaligen Situation. In diesem Zusammenhang erinnere ich mich an eine Episode, die sich am 2. Dezember ereignete, als es zu einem Einbruch an der Nahtstelle zwischen 5. und 33. Armee kam. Eine verhältnismäßig starke feindliche Kampfgruppe, meiner Schätzung nach ein verstärktes Regiment,

brach zum Frontstab durch, so daß es in dem Birkenwald, in dem unser Gefechtsstand eingerichtet war, zu Kämpfen kam, an denen das Wachregiment und Stabsoffiziere teilnahmen. Die Deutschen wurden abgewehrt und zurückgeworfen.

Es blieb bei diesem einen Zwischenfall, der jedoch zeigt, unter welchen Bedingungen der Frontstab damals zu arbeiten hatte. Trotzdem wären wir selbst im kritischsten Augenblick der Abwehrschlacht nicht auf die Idee gekommen, daß es besser wäre, den Frontstab weiter ins Hinterland zu verlegen. Warum nicht? Nun, eine Verlegung wäre bei den untergeordneten Kommandostellen und der Truppe sofort bekannt geworden – und was hätten sie davon gehalten? „Frontkommando und -stab stellen unerbittlich strengste Anforderungen an die Truppe, das Unmögliche zu leisten, und befehlen ihr, die Stellung bis zum letzten Mann zu halten, während Hunderte und Tausende von politischen Arbeitern, Propagandisten und Kommunisten der Truppe erklären, daß hinter ihr Moskau liegt, so daß für einen Rückzug kein Raum mehr zur Verfügung steht. Unsere Soldaten tun alles Menschenmögliche und sogar noch mehr, um den Befehl des Vaterlands auszuführen, den Feind aufzuhalten und ihn danach vernichtend zu schlagen. Und dann verlegt das Frontkommando plötzlich seinen Gefechtsstand weiter nach rückwärts!“ Natürlich ist die Hauptkampflinie nicht der rechte Ort für den Gefechtsstand, aber dabei mußte es im damaligen Stadium bleiben – auch um die Truppe straff führen zu können. Unter den herrschenden Umständen war es jedoch nicht möglich, normale Maßstäbe anzulegen.

Außerdem war der Militärrat der Ansicht, der Hauptstoß des Feindes sei nicht in diesem Abschnitt zu erwarten, und berücksichtigte die Tatsache, daß das von Perkuschkowo ausgehende Fernmeldenetz hervorragend organisiert war. Ich habe bereits Gelegenheit gehabt, diese Tatsache zu erwähnen, aber ich möchte sie nochmals ansprechen, weil die dort existierende Situation die Art der Truppenführung in ganz bestimmter Weise beeinflußte.

Die Nähe der Hauptstadt und die durch die unermüdlichen Anstrengungen des Fernmeldeführers der Westfront, N. D. Psurzew, und seiner Untergebenen ermöglichte Benützung aller staatlichen und zivilen Fernmeldeverbindungen verschafften uns zuverlässige Telefon- und Telegrafverbindungen mit dem Hauptquartier, dem

Generalstab und allen der Front unterstellten Armeen, während für Notfälle direkte Reserveverbindungen bereitstanden. Erforderlichenfalls konnten Frontstab oder Gefechtsstand sogar mit einzelnen Divisionen verbunden werden.

Ich muß sagen, daß die im Krieg gemachten Erfahrungen unwiderlegbar bewiesen, wie notwendig und nützlich es ist, daß Kommandeure aller Dienstgrade vor einem Gefecht oder einer Schlacht einige Zeit mit ihrer Truppe arbeiten. Das ist erforderlich, damit die Truppe die Lage besser versteht und um die bevorstehenden Operationen richtig vorzubereiten; aber sobald sie beginnen und solange sie andauern, gehören die Kommandeure aller Dienstgrade in ihre Gefechtsstände, um ihre Truppe von dort aus zu führen.

Das waren die Grundsätze, von denen wir uns bei der Truppenführung in der Schlacht um Moskau leiten ließen. Solange die Abwehrschlachten andauerten, hinderten die große Frontlänge (über 600 Kilometer), die Schwierigkeiten und die stark angespannte Lage den Frontbefehlshaber daran, sein Hauptquartier zu verlassen, wo sämtliche Meldungen über die Bewegungen des Feindes, über unsere eigenen Kräfte und über die Nachbarfronten zusammenliefen und wo ständiger Kontakt mit Stawka und Generalstab gewährleistet war.

Trotzdem mußte ich selbst während der Abwehrschlacht einmal meinen Gefechtsstand verlassen und zu einer Division der 16. Armee fahren. Das hatte folgenden Grund:

Stalin erhielt auf irgendeine Weise die Nachricht, daß unsere Truppen die Stadt Dedowsk nordwestlich von Nachabino aufgegeben hätten. Diese Stadt liegt ganz in der Nähe Moskaus, und die unerwartete Meldung beunruhigte ihn verständlicherweise sehr, denn noch am 28. und 29. November hatte die 9. Gardeschützendivision (Generalmajor A. P. Beloborodow) die wiederholten erbitterten Angriffe des Gegners im Raum Istra erfolgreich abgewehrt. Doch inzwischen waren 24 Stunden vergangen, und nun schien Dedowsk sich in Feindeshand zu befinden.

Stalin rief mich an: „Wissen Sie, daß Dedowsk besetzt ist?" „Nein, Genosse Stalin, das ist mir nicht bekannt." Der Oberste Befehlshaber hielt mit seiner Gereiztheit nicht zurück und sagte: „Der Befehlshaber einer Front muß wissen, was an seiner Front los ist." Ich solle unverzüglich hinfahren, um „den Gegenangriff persönlich zu organisieren und Dedowsk zurückzuerobern". Ich versuchte ihm klarzumachen, daß es in so angespannter Lage kaum ratsam sei, das Stabsquartier der Front zu verlassen, und wollte den Auftrag ablehnen.

„Macht nichts, wir kommen hier schon irgendwie zurecht! Lassen Sie für diese Zeit Sokolowski an Ihrer Stelle zurück."

Nach diesem Gespräch rief ich sofort General Rokossowski an und verlangte Aufklärung darüber, warum dem Frontstab nicht gemeldet worden sei, daß man Dedowsk aufgegeben habe. Dabei stellte sich sofort heraus, daß die Stadt Dedowsk nicht vom Gegner genommen war und es sich höchstens um das Dorf Dedowo handeln könne. Die 9. Gardeschützendivision sei im Raum Chowanskoje-Dedowo-Snegiri und südlich davon in schwere Kämpfe verwickelt und hindere den Gegner daran, entlang der Wolokolamsker Chaussee nach Dedowsk und Nachabino vorzustoßen. Da hier offenbar ein Irrtum vorlag, beschloß ich, im Hauptquartier anzurufen und das Mißverständnis aufzuklären. Doch da war ich an den Falschen geraten! Stalin wurde endgültig böse und verlangte, ich sollte sofort zu Rokossowski fahren und dafür sorgen, daß diese unselige Ortschaft unbedingt zurückerobert werde. Er wies mich sogar an, den Kommandeur der 5. Armee, General L. A. Goworow, mitzunehmen. „Er ist Artillerist und soll Rokossowski helfen, die 16. Armee mit Artilleriefeuer zu unterstützen."

Es hatte keinen Zweck, in dieser Situation Einwände zu erheben. Als ich dann General Goworow anrief und ihm den Auftrag erteilte, meinte er zu Recht, daß diese Fahrt überflüssig sei. Die 16. Armee habe einen eigenen Artillerieführer, Generalmajor W. I. Kasakow, ihr Kommandeur wisse selbst, was er zu tun habe, und wozu müsse er, Goworow, in einer so schwierigen Lage seine eigene Armee im Stich lassen? Um die Diskussion zu beenden, eröffnete ich dem General, daß dies ein Befehl Stalins sei.

Wir fuhren zu Rokossowski, der uns sofort zu A. P. Beloborodows Division begleitete. Der Divisionskommandeur war wenig erfreut über unser Auftauchen; er hatte alle Hände voll zu tun und sollte jetzt auch noch erläutern, warum der Gegner einige Häuser des Dorfs Dedowo, die jenseits einer Schlucht lagen, genommen hatte. Beloborodow legte in seinem Lagebericht überzeugend dar, daß es aus taktischen Gründen unzweckmäßig sei, diese Häuser jenseits der tiefen Schlucht zurückzuerobern. Leider konnte ich ihm nicht sagen, daß ich mich in diesem Fall durchaus nicht von taktischen Erwägungen leiten ließ. Ich wies Beloborodow deshalb an, eine Schützenkompanie mit zwei Panzern vorzuschicken und den deutschen Zug zu vertreiben, der sich in den Häusern festgesetzt hatte. Soviel ich weiß, wurde das im Morgengrauen des 1. Dezember getan.

Später stellte sich heraus, daß ich während dieser Ereignisse über sämtliche verfügbaren Telefone gesucht worden war, und da die Nachrichtenverbindung zwischen der Division und der 16. Armee seit einiger Zeit unterbrochen war, kam ein Fernmeldeoffizier zu Beloborodows Division, um mir davon Mitteilung zu machen. Mir gelang es bald, Verbindung mit General Sokolowski aufzunehmen, der mir berichtete, Stalin habe schon dreimal im Frontstab angerufen, um zu fragen: „Wo ist Schukow? Warum ist er weggefahren?“ Offenbar war der Feind am Morgen des 1. Dezember im Abschnitt der 33. Armee, in dem bisher verhältnismäßig Ruhe geherrscht hatte, zum Angriff übergegangen.

Nachdem Sokolowski und ich uns darauf geeinigt hatten, welche Sofortmaßnahmen zur Beseitigung dieser neuen Gefahr ergriffen werden mußten, versuchte ich, Verbindung mit dem Hauptquartier aufzunehmen, und erreichte Wassilewski, der mir mitteilte, Stalin habe mir die sofortige Rückkehr zum Frontstab befohlen. Inzwischen würde das Hauptquartier entscheiden, welche zusätzlichen Reserven uns unterstellt werden könnten, damit wir den Feindeinbruch in Richtung Aprelewka bereinigen konnten.

Nach meiner Rückkehr in den Gefechtsstand rief ich sofort Moskau an und wurde diesmal mit Stalin verbunden. Ich meldete ihm, daß ich mich mit der Lage vertraut gemacht hatte, und berichtete, welche Schritte unternommen worden waren oder unternommen werden sollten, um die in der Frontmitte durchgebrochenen deutschen Verbände zu vernichten. Stalin kam nicht auf unser Gespräch über meine Fahrt mit Goworow zur 16. Armee oder den Grund für seinen Befehl zu dieser Fahrt zurück. Erst zum Schluß des Telefongesprächs fragte er beiläufig: „Na, wie war's in Dedowsk?“ Ich antwortete, daß eine zum Angriff vorgeschickte Schützenkompanie mit zwei Panzern einen deutschen Zug aus dem Dorf Dedowo vertrieben habe. So endete eine meiner Reisen, die mich während der Abwehrschlacht vor Moskau aus meinem Gefechtsstand an die Front führte.

Aber während die Gegenoffensive lief, waren Frontbesuche bereits unvermeidlich geworden. Ich mußte zu Rokossowskis 16. Armee, Goworows 5. Armee, Golubews 43. Armee und Sacharkins 49. Armee fahren. Das war vor allem nötig, um den Armeekommandeuren zu helfen, ihre Angriffstätigkeit besser mit der ihrer Nachbarn abzustimmen, sie vor Frontalangriffen zu warnen und die Truppe dazu zu bringen, feindliche Stützpunkte kühner zu umgehen und den Gegner mit größtmöglicher Geschwindigkeit zu verfolgen. Zu diesem Zweck mußte ich etwa eine Woche nach Beginn der Gegenoffensive sogar einen Sonderbefehl herausgeben, in dem es eigens hieß: „5. Die Verfolgung muß in schnellstem Tempo durchgeführt werden, und der Gegner darf keine Gelegenheit erhalten, sich abzusetzen. Starke Vorausabteilungen müssen vermehrt zur Besetzung von Straßenkreuzungen und Engpässen eingesetzt werden, um feindliche Marsch- und Kampfkolonnen zu stören. 6. Ich verbiete kategorisch Frontalangriffe gegen befestigte feindliche Widerstandskomplexe. Die Angriffsspitzen müssen sie ohne Halt passieren und die Vernichtung dieser Komplexe den nachfolgenden Abteilungen überlassen."

Daß diese Forderungen in die Weisung aufgenommen wurden, war eine Folge der in den allerersten Tagen der Offensivoperationen unserer Truppen gemachten Erfahrungen. Der springende Punkt dabei war, daß die Stoßgruppen der Armeen in einigen Fällen in langwierige, verlustreiche Frontalangriffe verwickelt wurden. Beispielsweise wurde der Vormarsch der 30. Armee und der 1. Stoßarmee im Raum Klin aus diesem Grund aufgehalten. Damals machte sich in allen unseren Verbänden ein außerordentlicher offensiver Elan und ein sehr hoher Kampfgeist bemerkbar. Sowjetische Soldaten hatten endlich erlebt, worauf sie gewartet hatten: eine unter ihren Schlägen zurückweichende Hitlerarmee. Trotzdem darf nicht unberücksichtigt bleiben, daß uns noch ausreichende Kampferfahrung fehlte und viele unserer Kommandeure vor allem bei der Führung von Angriffsoperationen ungeschickt waren. Obwohl sie sich im Angriff befanden, hatten viele von ihnen noch kein rechtes Vertrauen zu ihrer Truppe und fürchteten gelegentlich, selbst eingekesselt zu werden. So kam es vor, daß Einheiten und Verbände gelegentlich nur zögernd in Lücken hineinstießen, die sich vor ihnen in der deutschen Front auftaten. Wie man einen starken, erfahrenen Gegner schlägt, war nicht leicht zu erlernen; dazu kam unser damaliger Mangel an schnellen Panzerverbänden, der sich empfindlich bemerkbar machte, weil uns Kräfte fehlten, die in den operativen Raum vorstoßen konnten, sobald sie die gegnerische Verteidigungslinie durchbrochen hatten.

Der Frontstab mußte Skitruppen, Kavallerie und Fallschirmjäger einsetzen, um die Rückzugswege des Feindes blockieren zu lassen. Im feindlichen Hinterland wurden auch sowjetische Partisanen, die ihre Operationen mit den Militärräten der jeweiligen Fronten abstimmten, gegen die zurückgehenden deutschen Truppen aktiv, und der Kampf, den die Partisanengruppen ihnen lieferten, verschlechterte die Lage der Deutschen ganz erheblich.

Wie leicht einzusehen ist, konnten Kavallerie und Skitruppen unseren Mangel an schnellen Panzerverbänden nicht völlig wettmachen, aber sie kämpften trotzdem heldenhaft und fügten dem Feind große Verluste zu. Bei den Kämpfen im Klin-Abschnitt zeichneten sich die Reiter der 24. Kavalleriedivision aus, und die Soldaten des I. und II. Gardekavalleriekorps bewährten sich hervorragend, aber am 19. Dezember fielen in der Nähe des Dorfs Palaschkino, zwölf Kilometer nordwestlich von Rusa, der Kommandeur des II. Gardekavalleriekorps, Generalmajor L. M. Dowator, und der Kommandeur der 20. Kavalleriedivision, Oberstleutnant M. P. Tawliew, während eines Angriffs. Die Gefallenen wurden zur Beisetzung nach Moskau übergeführt, und das Präsidium des Obersten Sowjets der UdSSR zeichnete General Dowator postum mit dem Titel eines Helden der Sowjetunion aus.

Als Ergebnis unserer Gegenoffensive vor Moskau stellte sich die operativ-strategische Lage an der Westfront am 1. Januar 1942 folgendermaßen dar:

Der rechte Flügel (1. Stoßarmee, 16. und 20. Armee) griff unermüdlich die zusammenhängend organisierte deutsche Verteidigungslinie entlang der Flüsse Lama und Rusa an. (Die 30. Armee war auf Befehl des Hauptquartiers an die Kalininfront abgegeben worden.)

Die Frontmitte (5., 33., 43. und 49. Armee) entwickelte die Offensive aus der durch die Flüsse Rusa, Nara und Oka gebildeten

Linie in Richtung Moschaisk, Borowsk, Malojaroslawez und Kondrowo weiter.

Truppen der Kalininfront stießen zu diesem Zeitpunkt in allgemeiner Richtung Stariza-Rschew vor, während der linke Flügel dieser Front, der wie bisher mit dem rechten Flügel der Westfront zusammenwirkte, an der Lama kämpfte, wo die Deutschen hartnäckigen Widerstand leisteten. Die Truppen der neugebildeten Brjanskfront kämpften an der Oka und blieben dabei etwas hinter dem linken Flügel der Westfront zurück.

Unter diesen Umständen waren die Armeen des linken Flügels der Westfront, die einen tiefen Einbruch in die deutschen Stellungen erzielt hatten, am besten imstande, die begonnene Gegenoffensive erfolgreich weiterzuentwickeln. Zu ihrer Fortführung waren jedoch frische Kräfte notwendig, und die Front selbst besaß zu diesem Zeitpunkt keinerlei Reserven mehr. Wir forderten Verstärkung aus der Reserve des Hauptquartiers an, ohne jedoch zusätzliche Truppen zu erhalten.

Als unsere Armeen in den ersten Januartagen eine Linie erreichten, die von Oreschki über Stariza, die Flüsse Lama und Rusa, Malojaroslawez, Tichonowa Pustyn, Kaluga, Mosalsk, Kirow, Suchinitschi, Belew und Mzensk nach Nowosil führte, war unserer Auffassung nach das erste Stadium der sowjetischen Gegenoffensive im Prinzip beendet. Wir waren der Meinung, soweit die Fronten des Westabschnitts (West-, Kalinin- und Brjanskfront betroffen seien, sollte das nächste Stadium aus einer Fortsetzung der Offensive – nach entsprechender Verstärkung mit Truppen und Material – bis zu ihrem erfolgreichen Abschluß bestehen, d.h. bis wir die Stellungen zurückerobert hatten, in denen diese Fronten vor Beginn der deutschen Offensive mit dem Decknamen „Taifun“ gestanden hatten. Wäre es uns gelungen, vom Hauptquartier lediglich vier Armeen (je eine für die Kalininfront und die Brjanskfront, zwei für die Westfront) als Verstärkung zu erhalten, hätten wir eine echte Chance gehabt, den Deutschen weitere Niederlagen beizubringen, sie noch weiter von Moskau zurückzudrängen und die Linie Witebsk-Smolensk-Brjansk zu erreichen. Jedenfalls herrschte im Militärrat sowie im Frontstab volles Einverständnis darüber, daß die Gegenoffensive nur dann am wirkungsvollsten fortgesetzt werden konnte, wenn sämtliche verfügbaren Kräfte im Westab-

schnitt konzentriert und eingesetzt wurden. Ich glaube, daß diese Einstellung die richtige Reaktion auf die damals im Westen herrschende Lage war.

Die Dezember-Offensive im mittleren strategischen Abschnitt war zweifellos sehr erfolgreich gewesen. Die Stoßgruppen der Heeresgruppe Mitte hatten eine schwere Niederlage erlitten und waren zum Rückzug gezwungen worden. Insgesamt gesehen war der Gegner jedoch weiterhin stark – nicht nur vor der Westfront, sondern auch in den übrigen Abschnitten. Im Mittelabschnitt der Westfront leistete er erbitterten Widerstand, und die erfolgreich angelaufenen sowjetischen Offensiven im Süden und Norden – bei Rostow und Tichwin – gelangten zu keinem befriedigenden Abschluß, sondern zogen sich ohne entscheidenden Erfolg hin. Aber Stalin ließ sich durch unsere im Verlauf der Gegenoffensive erzielten Erfolge beeinflussen und neigte zu übertriebenem Optimismus. Er war der Überzeugung, die nicht auf einen Winterkrieg vorbereiteten Deutschen würden den Angriffen der Roten Armee auch in anderen Frontabschnitten nicht standhalten können. Daraus entwickelte sich die Idee, möglichst rasch an der gesamten Front vom Ladoga-See bis zum Schwarzen Meer zur Offensive überzugehen.

Sowohl ich als auch das Mitglied des Militärrats der Front, N. A. Bulganin, waren damals häufig im Hauptquartier, weil Stalin uns oft mit der Begründung kommen ließ, er wolle uns persönlich nach der Lage an der Westfront befragen und unsere Ansicht über die in naher Zukunft bevorstehende Entwicklung erfahren.

Als Mitglied des Hauptquartiers wurde ich am Morgen des 5. Januar 1942 zur Besprechung des Plans einer Generaloffensive nach Moskau bestellt. Die Mitglieder des Staatlichen Verteidigungskomitees, der Chef des Generalstabs, W. M. Schaposchnikow, und – wenn ich mich recht erinnere – sein Stellvertreter A. N. Wassilewski nahmen an dieser Sitzung teil, zu der auch N. A. Wosnessenski (der für die Rüstungsproduktion Verantwortliche) eingeladen worden war. Schaposchnikow referierte kurz über die Lage an den Fronten und machte Anmerkungen zu den vorgesehenen Operationen. Während die Gegenoffensive der Fronten des Westabschnitts weitergehen sollte, hatte Stalin vor, auch die sowjetischen Kräfte aller übrigen Abschnitte zum Angriff übergehen zu lassen, um die Deutschen vor Leningrad, westlich von Moskau und im Süden des Landes zu schlagen. Somit sollte sich aus der Gegenoffensive im Mittelabschnitt eine Generaloffensive entlang der gesamten Front entwickeln.

Der Hauptschlag sollte gegen die Heeresgruppe Mitte geführt werden, die von den Armeen der West- und Kalininfront sowie der linken Flügel der Nordwest- und Brjanskfront zerschlagen werden sollten. Die Heeresgruppe Nord sollte von der Leningrader Front, dem rechten Flügel der Nordwestfront und der Ostseeflotte zurückgeworfen werden, um die Belagerung Leningrads aufzuheben, während die Südwest- und Südfront die Heeresgruppe Süd schlagen und das Donezbecken befreien sollten. Die Kaukasusfront sollte gemeinsam mit der Schwarzmeerflotte die Krim befreien. Diese Generaloffensive sollte schon sehr bald beginnen.

Stalin faßte Schaposchnikows Ausführungen kurz zusammen, indem er sagte: „Bei den Deutschen herrscht nach der Niederlage vor Moskau Verwirrung. Sie sind schlecht auf den Winter vorbereitet. Jetzt ist der geeignetste Zeitpunkt, um zur Generaloffensive überzugehen."

Die geplante Generaloffensive war ein sehr großes, ehrgeiziges Vorhaben, für das wir damals weder genügend Truppen noch ausreichend Material zur Verfügung hatten.

„Wer möchte sich dazu äußern?" fragte Stalin, nachdem der Generalstabschef den gesamten Plan erläutert hatte. Ich bat ums Wort und führte aus, die Fronten müßten die Offensive im Westabschnitt fortsetzen, wo die besten Voraussetzungen dafür geschaffen worden seien und der Gegner noch nicht imstande gewesen sei, die Kampfstärke seiner Verbände wiederherzustellen. Zur Fortführung der Offensive müßten unsere Armeen jedoch Verstärkung durch Truppen und Material erhalten und Reserven – vor allem Panzerverbände – zugewiesen erhalten, ohne die es schwierig sein werde, die ihnen zugewiesenen Aufgaben zu erfüllen. Was eine Offensive unserer Armeen vor Leningrad und im Südwestabschnitt betreffe, seien sie dort vor die Notwendigkeit gestellt, starke Verteidigungsstellungen durchbrechen zu müssen. Das sei ohne starke Artilleriekräfte nicht möglich; ohne sie würden unsere Truppen lediglich selbst aufgerieben werden und schwere, durch nichts zu rechtfertigende Verluste erleiden. Deshalb müßten die

Fronten des Westabschnitts verstärkt werden, um ihre Offensive mit aller Kraft fortführen zu können, während wir in den übrigen Abschnitten vorläufig auf eine Offensive verzichten sollten.

Stalins Zwischenbemerkungen während meiner Rede zeigten mir, daß die Entscheidung bereits gefallen war und nicht rückgängig gemacht werden würde. Wosnessenski, der unmittelbar nach mir sprach, wandte sich jedoch ebenfalls gegen eine Generaloffensive, indem er darauf hinwies, daß wir nicht über die materiellen Reserven für eine gleichzeitige Offensive aller Fronten verfügten. Stalin ließ ihn ausreden und sagte dann: „Ich habe mit Timoschenko (dem Oberbefehlshaber im Süden) gesprochen. Er ist für eine Offensive. Man muß die Deutschen rascher aufreiben, damit sie im Frühjahr nicht mehr angreifen können."

Malenkow und Beria unterstützten Stalin, indem sie behaupteten, Wosnessenski finde stets unerwartete Schwierigkeiten, die sich jedoch überwinden ließen. Da sich sonst niemand mehr zu Wort meldete, sagte der Oberste Befehlshaber: „Na also, dann beenden wir die Diskussion."

Ich gewann den Eindruck, Stalin habe die Militärs nicht ins Hauptquartier kommen lassen, um mit ihnen das Für und Wider einer Generaloffensive zu besprechen, sondern um „den Soldaten einen Stoß zu geben", wie er es manchmal ausdrückte. „Sie hätten keine Einwände erheben sollen", erklärte Schaposchnikow mir, als wir Stalins Arbeitszimmer verließen. „Der Oberste Befehlshaber hatte die Sache schon vorher entschieden. Die Befehle für fast alle Fronten sind bereits hinausgegangen, und sie werden die Offensive in wenigen Tagen beginnen."

„Weshalb hat er mich dann nach meiner Meinung gefragt?"

„Das weiß ich nicht, mein Lieber, das weiß ich nicht", antwortete Schaposchnikow.

Aus dieser Äußerung und seinen oben zitierten Ausführungen wurde mir klar, daß der Plan für eine Generaloffensive nicht aus dem Generalstab stammte.

Die Winteroffensive der Leningrader, Wolchower und Nordwestfront blieb bekanntlich weit vor den gesteckten Zielen liegen. Der Hauptgrund dafür ist auch darin zu suchen, daß es an Truppen und Ausrüstung fehlte, die erforderlich gewesen wären, um den feindlichen Widerstand brechen zu können. Auch die Offensive der Süd- und Südwestfront kam rasch zum Stehen, da auf unserer Seite keine personelle oder materielle Überlegenheit vorhanden war und der Gegner hartnäckig Widerstand leistete.

Diese Feststellungen unterstreichen die von uns versäumten Möglichkeiten und beziehen sich auf das Gebiet strategischer Planungen und den Einsatz von Reserven. Das alles kann jedoch keineswegs davon ablenken, wie wichtig der von der Roten Armee errungene Sieg in der Schlacht um Moskau war. Im Kampf um Moskau haben die Hitler-Truppen insgesamt über 500000 Mann, 1300 Panzer, 2500 Geschütze und über 15000 Kraftfahrzeuge verloren sowie Unmengen weiteres Kriegsmaterial eingebüßt. Die Deutschen wurden von Moskau aus 150 bis 300 Kilometer weit nach Westen zurückgeworfen.

In seiner Schilderung der Schlacht um Moskau mußte General Siegfried Westphal eingestehen, daß die deutschen Streitkräfte, die zuvor als unbesiegbar galten, am Rande der Vernichtung standen. Auch weitere deutsche Generale wie Tippelskirch, Blumentritt, Manteuffel und viele andere haben diese Tatsache anerkannt.

Die sowjetische Gegenoffensive im Winter 1941/42 erfolgte unter den erschwerten Bedingungen eines schneereichen und harten Winters und vor allem ohne zahlenmäßige Überlegenheit über den Gegner. Wir hatten mehr Armeen als der Feind, aber jede von ihnen entsprach nach Truppenstärke und Bewaffnung kaum einem deutschen Armeekorps; außerdem verfügte die Front nicht über große Panzer- oder mechanisierte Verbände. Wie die Erfahrungen dieses Krieges gezeigt haben, lassen moderne Offensivoperationen großen Ausmaßes und entscheidender Zielsetzung sich nicht ohne solche Verbände durchführen. Nur mit starken Panzer- und mechanisierten Verbänden kann man den Bewegungen des Gegners zuvorkommen, ihn rasch an den Flanken umgehen, seine Nachschubwege abschneiden und die feindlichen Kräfte einkesseln und vernichten.

Ich werde häufig gefragt: „Welche Rolle hat Stalin in der Schlacht um Moskau gespielt?“ Stalin war in Moskau und organisierte die Kräfte und Mittel zur Zerschmetterung des Feindes vor Moskau. Man muß ihm Gerechtigkeit widerfahren lassen. Mit Unterstützung des Staatlichen Verteidigungskomitees, der Mitglieder des Hauptquartiers und der leitenden Kader der Volkskommissariate leistete er gewaltige Arbeit bei der Organisation der strategischen Reserven und des Materials – der in einem bewaffneten Konflikt unerläßlichen technischen Ressourcen. Man könnte behaupten, er habe das fast Unmögliche durch seine harten Forderungen erreicht. Während der Schlacht um Moskau war er für jeden Rat empfänglich, traf jedoch leider gelegentlich Entscheidungen, die der tatsächlichen Lage nicht gerecht wurden – beispielsweise als er die 1. Stoßarmee wieder in die Reserve überführen ließ und mit seiner Forderung nach einer Generaloffensive aller Fronten.

In der Schlacht um Moskau brachte die Rote Armee den deutschen Hauptkräften erstmals in den bisher sechs Kriegsmonaten eine sehr schwere strategische Niederlage bei. Schon vor den Kämpfen im Raum Moskau hatte es verhältnismäßig erfolgreiche Operationen sowjetischer Truppen in einigen anderen Abschnitten der sowjetisch-deutschen Front gegeben, aber keine war mit der großen Schlacht vor Moskau zu vergleichen.

In der erbitterten und verlustreichen Schlacht um Moskau bewiesen alle unsere Verbände und Einheiten äußerste Standhaftigkeit und Ausdauer. Die sowjetischen Soldaten – vom Gefreiten bis zum General – erfüllten ihre heilige Pflicht dem Vaterland gegenüber ehrenvoll, bewiesen Massenheroismus und kämpften unter Einsatz ihres Lebens mit ganzer Kraft zur Verteidigung Moskaus. Ihnen gleich taten es unsere Partisanen, Männer und Frauen, und die Werktätigen leisteten der Truppe unschätzbar wertvolle Unterstützung. Groß war auch das Verdienst unserer Kommunistischen Partei, indem es ihr gelang, die nicht abschätzbaren nationalen Kräfte zu mobilisieren und den Siegeswillen des Sowjetvolks zu wecken.

Wenn man mich fragt, welches Ereignis sich mir im vergangenen Krieg am stärksten eingeprägt hat, antworte ich stets: „Die Schlacht um Moskau." Unter harten, oft ungemein schwierigen Kampfbedingungen wurden unsere Truppen abgehärtet, gestählt und kriegserfahren. Nachdem sie ein Minimum an notwendigem Kriegsgerät in die Hand bekommen hatten, verwandelten sie sich aus einer zurückweichenden, sich verteidigenden Truppe in eine mächtige Offensivkraft. Spätere Generationen werden sich stets an jene harte und heroische Zeit für das Sowjetvolk sowie die militärischen Erfolge der Soldaten der sowjetischen Streitkräfte erinnern. In der Schlacht um Moskau wurde eine feste Grundlage für den späteren Sieg über das nationalsozialistische Deutschland gelegt.

Sachregister

Adlertag (Luftschlacht über England) 25
Ärmelkanal 22, 23
Balkanfeldzug 30
Belgien 22, 35
Beresina (Fluß) 52, 54
Chalchin-Gol (Fluß) 14, 33, 34, 96
Dänemark 35
Dnjepr (Fluß) 25, 26, 29, 44, 47, 50, 57, 58, 61, 63, 69, 70, 73, 75, 78, 80, 126
Don (Fluß) 63
Donezbecken 60, 75, 151
Düna (Fluß) 25, 26, 29, 44, 47, 48, 49, 56, 57, 126
Februarrevolution (1917, sowj.) 12
Finnland 16, 17, 30, 31, 34, 42
Frankreich 22, 24, 31, 34, 41
Gestapo (Geheime Staatspolizei) 22
Griechenland 30
Großbritannien (England) 7, 9, 11, 22, 23, 24, 31
Hasan-See 32, 33
Japan 9, 33
Jelnja-Bogen 19, 55, 57, 68, 91, 129
Jugoslawien 30
Kolotscha (Fluß) 99
Kreml 88, 91, 123
Kaukasus 48, 60
Kaukasien 63
Krim 63, 75, 151
Ladoga-See 150
Lama (Fluß) 99, 139, 147, 148
Lowat (Fluß) 52, 55, 56
Luga (Fluß) 51
Luscha (Fluß) 99
Luxemburg 35
Mandschukuo (China) 14
Marcks-Plan 25, 26
Mongolische Volksrepublik 33, 111
Moskwa (Fluß) 99
Nara (Fluß) 117, 120, 147
Niederlande (Holland) 22, 35
Norwegen 35, 36
NSDAP (Nationalsozialistische Deutsche Arbeiter-Partei) 24
Oberkommando des Heeres (OKH) 7, 25, 26, 28, 29, 30, 38, 44, 47, 48, 56, 57, 64, 68, 69, 71, 123, 126
Oberkommando der Wehrmacht (OKW) 7, 9, 25, 26, 28, 29, 63, 72, 74
Obinskoje (Fluß) 94
Oka (Fluß) 147, 148
Persischer Golf 48
Polen 14, 16, 21, 22, 24, 31, 34, 35, 42
Polnische Heimatarmee 31
Pripjet-Sümpfe 28
Protwa (Fluß) 92, 94, 95, 106, 120
Psel (Fluß) 81
Reichswehr 21
Royal Air Force (RAF) Fighter Command 11, 23, 24
Rusa (Fluß) 139, 147, 148
Schwarzes Meer 36, 150
Schweden 62
Sosch (Fluß) 54
Sowjetunion (Rußland, UdSSR) 7, 8, 9, 12, 14, 18, 21, 24, 25, 26, 31, 32, 33, 34, 35, 39, 40, 41, 42, 43, 46, 48, 58, 60, 64, 96, 108, 126, 137, 147
Stawka (HQ des sow. Oberkommandos) 19, 50, 52, 55, 56, 60, 66, 70, 73, 74, 78, 79, 80, 81, 82, 86, 88, 96, 97, 99, 100, 112, 129, 143
Stawkareserve 46, 91, 98, 107
Streitkräfte, deutsche Heeresgruppen
  Mitte 7, 8, 19, 26, 28, 38, 44, 47, 49, 50, 52, 54, 55, 56, 58, 60, 61, 64, 65, 66, 68, 70, 71, 72, 73, 74, 75, 76, 85, 89, 125, 129, 139, 150, 151
  Nord 19, 26, 28, 38, 44, 49, 51, 58, 62, 63, 71, 72, 76, 131, 151
  Süd 26, 38, 42, 44, 48, 52, 54, 55, 60, 61, 63, 72, 73, 74, 75, 82, 131, 151
  Armeen
  2. 72, 73, 79, 113, 117, 137
  4. Armee 66, 113, 114
  5. Armee 57
  17. Armee 69, 73, 80
  3. Panzer-
  4. Panzer- 47, 129
  6. 42, 72, 75, 129
  9. 55, 56
  16. 62
  17. Panzer-
  18. 62
  Korps
  VII. Armee- 68
  XX. Armee- 68
  XXIV. Panzer- 50
  XLVI. Panzer- 50

XLVII. Panzer- 79
Divisionen
2. Panzer- 8
3. Panzer- 8, 81, 138
17. Panzer - 138
4. Infanterie- 8
7. Panzer- 8
10. Panzer- 48
18. Panzer- 48
29. Infanterie- (mot.) 48, 50, 138
56. Infanterie-
SS- „Das Reich" 123
Luftflotten
1 38
2 11, 38, 47, 89
3 11
4 38
5 11
Panzergruppen
1 80
2 46, 48, 50, 51, 54, 60, 66, 69, 81, 84
3 46, 48, 50, 54, 62, 71, 84, 85
4 19, 62, 84, 85, 129
Streitkräfte, sowjetische Fronten (Heeresgruppen)
Brjansk- 20, 55, 56, 73, 78, 79, 80, 84, 86, 88, 89, 90, 97, 108, 112, 119, 148, 151
Dnjepr- 57, 58, 61
Front der Verteidigungslinie Moschaisk 91, 92, 97, 98, 99, 101, 103, 104, 107
Front der Reservearmeen
Kalinin- 88, 108, 116, 125, 134, 137, 147, 148, 151
Kaukasus- 151
Leningrad- 19, 84, 88, 90, 129, 151, 152
Moskauer Reserve- 99, 100
Nordwest- 49, 52, 151, 152
Reserve- 20, 55, 56, 57, 70, 73, 76, 79, 84, 85, 89, 90, 91, 92, 94, 96, 97, 98, 99, 119, 129
Südwest- 70, 73, 76, 78, 79, 80, 81, 82, 83, 112, 125, 134, 136, 138, 151, 153
West- 12, 20, 44, 46, 47, 50, 51, 54, 55, 56, 57, 84, 86, 89, 90, 91, 95, 97, 98, 99, 100, 102, 103, 104, 107, 108, 112, 113, 114, 116, 119, 120, 122, 125, 126, 130, 131, 132, 133, 134, 137, 138, 139, 148, 150, 151
Wolchower- 152
Zentral- 54, 55, 73, 76, 78, 79
Armeen
1. Reiter- 13
1. Stoß- 118, 125, 131, 132, 137, 146, 147, 154
3. 46, 78, 85, 90, 112
4. 46, 47, 54
5. 61, 65, 66, 69, 72, 73, 74, 75, 78, 79, 81, 82, 99, 101, 106, 107, 112, 117, 133, 137, 140, 144, 146, 147
6. 61, 69
10. 46, 125, 131, 133, 138, 139, 140
12. 61, 69
13. 46, 47, 50, 54, 55, 79, 85, 90, 112
15. 55
16. 46, 48, 52, 54, 55, 65, 69, 85, 90, 97, 101, 102, 106, 107, 113, 116, 120, 137, 143, 144, 145, 147
18. 69
19. 46, 48, 49, 69, 85, 90, 92, 102, 103, 120
20. 46, 47, 48, 49, 52, 54, 65, 69, 85, 90, 92, 97, 102, 120, 122, 125, 131, 132, 137, 147
21. 46, 47, 54, 55, 78, 79, 81, 82
22. 46, 48, 49, 50, 52, 56, 101, 108,
23. 133
24. 51, 55, 85, 90, 92, 95, 97, 102, 120
26. 80, 81, 82
27. 48
28. 51
Kräftegruppe der 28.- 66
29. 51, 56, 101, 108
30. 51, 55, 79, 89, 108, 116, 118, 132, 137, 146, 147
31. 51, 90
32. 51, 85, 92, 95, 97, 102, 120
33. 51, 106, 117, 139, 140, 145, 147
34. 51, 107
37. 78, 81, 82
40. 78
41. 89
43. 92, 95, 96, 101, 102, 106, 117, 133, 139, 146, 147
49. 101, 102, 106, 114, 116, 133, 139, 146, 147
50. 85, 132, 133, 137, 138, 139, 140
Fernost-
Korps
I. Gardekavallerie- 147
II. Gardekavallerie- 147
II. Kavelleriekorps 80
III. Kavallerie- 14

VI. Kosaken- 14
XV. mechanisiertes- 44
XX. mechanisiertes- 50
XXIII. mechanisiertes- 69
XXVII. selbständiges 73
Kavallerie- „Dowator“ 147
Brigaden
11. Panzer- 96
33. Panzer- 113
Divisionen
1. Moskauer Kavallerie- 13
5. Schützen- 96
7. 117
9. Gardeschützen- 143, 144
17. Kavallerie- 113
18. Kavallerie- 113
20. Kavallerie- 113, 147
24. Kavallerie- 113, 147
44. Kavallerie- 113
53. Schützen- 107
58. Panzer- 114
110. Schützen- 107
112. Panzer- 113, 138
113. Schützen- 107
174. Schützen- 101
256. Schützen- 101
289. Schützen- 82
415. Schützen- 113
Flotten
Baltische- 58, 62
Ostsee- 151
Schwarzmeer- 151
Andere Gruppierungen
Operative Gruppe 90, 138
Nowgoroder Dragoner 12
Reiterregiment 10 12
Suezkanal 48
Syrien 48
Türkei 9, 48
Ugra (Fluß) 95, 96
Ukraine 13, 18, 25, 55, 60, 63, 68, 69, 74, 75, 84
Unternehmen
Barbarossa 7, 28, 30, 31, 43, 48, 126
Seelöwe 23
Taifun 84, 119, 120, 123, 128, 148
Upa (Fluß) 133
Weisungen (Führerweisungen)
Nr. 21 28, 29
Fritz (Deckname für Weisung Nr. 21) 28
Nr. 33 8, 61, 66
– Ergänzung 8, 63
Nr. 34 54, 55, 68
Weißrußland 25, 28
Weltkrieg, Erster 9, 12, 22
Winterkrieg, sow.-finnischer 14, 30, 31, 32
Wolfsschanze 75
Wolga-Moskwa-Kanal 8, 10, 132
Wop (Fluß) 55

Personenregister:

Anissow, A. F. 92, 94
Artjomjew, P. A. 51, 99
Bagramjan, I. CH. 82
Beloborodow, A. F. 143, 144, 145
Below, P. A. 113, 114, 133, 137, 138, 139, 140
Beria Lawrentij 152
Blücher, Wassilij K. 32
Blumentritt, Günther 153
Bock, Fedor von 46, 52, 54, 57, 66, 70, 84, 125
Bogdanow, G. I. 51
Bogdanow, S. I. 98
Boldin, I. W. 85, 90, 92, 102, 120
Borissow, (Sow. Brigadekomm.) 82
Brauchitsch, Walter von 58, 60, 62, 63, 65, 66, 74, 75
Bredow, Major von 68
Budjonni, Semjon M. 13, 61, 73, 74, 78, 80, 81, 92, 94, 95
Burmistenko, (Sow. Militärrat) 82
Bulganin, N. A. 98, 107, 116, 150
Chosin, (Sow. General) 90, 91
Chrustschow, Nikita S. 73, 80, 81
Chudjakow, S. A. 140
Churchill, Winston 31
Dowator, L. M. 114, 147
Feyerabend (Dt. General) 25
Gerassimenko, W. F. 50
Getman, A. L. 114, 138
Göring, Hermann 23
Golubew, K. D. 102, 146
Gorban, (Sow. Bataill. Kom.) 82
Goworow, L. A. 101, 144, 146

Guderian, Heinz 21, 22, 48, 50, 57, 65, 66, 68, 69, 70, 71, 72, 73, 74, 75, 76, 78, 79, 80, 81, 83, 84, 85, 90, 113, 117, 126, 128, 132, 137, 138
Halder, Franz 26, 28, 58, 60, 62, 63, 64, 70, 75, 76, 126
Hart, Liddell 21
Hitler, Adolf 7, 8, 9, 14, 17, 19, 20, 21, 22, 24, 26, 28, 29, 30, 35, 39, 42, 43, 46, 52, 54, 55, 58, 60, 61, 62, 63, 64, 66, 68, 69, 70, 71, 73, 74, 75, 76, 84, 89, 108, 110, 116, 119, 120, 126, 129, 146, 153
Hoepner, Erich 19, 84
Hoth, Hermann 49, 50, 70, 71, 76, 84, 129
Iwanow, I. I. 108
Jeremenko, Andrej, I. 49, 55, 78, 79, 80, 84, 85, 86, 88
Jerschakow, F. A. G 90
Jodl, Alfred 64
Kasakow, W. I. 144
Katschalow, W. J. 66
Kesselring, Albert 89
Kirponos, Michail P. 81, 82, 86, 129
Kleist, Ewald von 61, 69, 80, 81
Klimowskich, W. J. 44
Kluge, Guenther Hans von 66
Konjew, Iwan S. 49, 84, 85, 86, 90, 95, 98, 108, 134
Kostenkow, F. Ja. 82
Kudrjaschow, A. I. 99
Kulik, Iwan G. 32
Kusnezow, Fjodor I. 54, 82, 132
Kusnezow, Nikolaj G. 40
Leljuschenko, D. D. 99
Lenin, Wladimir I. 89
Leonow, D. S. 108
Lobatschow, A. A. 101
Lukin, M. F. 90, 103
Malenkow, G. M. 97, 152
Malinin, M. S. 101
Manteuffel, Hasso von 7, 153
Marcks, Erich 25, 26
Mechlis, Lew S. 32, 92, 94
Merezkow, K. A. 17
Molotow, Wjatscheslaw M. 24, 42, 97
Musytschenko, I. N. 70
Pawlow, D. G. 44
Petrow, I. F. 140
Pokrowski, (Sow. Militärrat) 80
Polossuchin, W. I. 98, 101
Ponedelin, P. G. 70
Popel, (Sow. General) 44
Popow, W. S. 138
Psurzew, N. D. 102, 142
Rakutin, K. I. 90
Ranges, I. 92
Reichenau, Walter von 72
Ribbentrop, Joachim von 24
Rokossowski, K. K. 34, 88, 90, 101, 114, 117, 118, 144, 146
Rundstedt, Gerd von 43, 58, 61, 72
Sacharkin, I. G. 102, 146
Schaposchnikow, Boris M. 18, 78, 79, 80, 81, 91, 96, 113, 118, 150, 151, 152
Schmidt (Dt. General/6. Armee) 42
Schmundt, Rudolf 68
Schukow, Georgij 9, 11, 12, 13, 14, 16, 17, 18, 19, 20, 33, 34, 40, 41, 44, 51, 55, 56, 57, 76, 78, 86, 88, 89, 94, 107, 116, 123, 124, 125, 126, 128, 129, 137, 145
Sokolowski, Wassilij D. 98, 102, 107, 131, 144, 145
Stalin, Josef 14, 16, 17, 18, 19, 20, 24, 31, 32, 34, 35, 39, 42, 43, 44, 57, 60, 73, 78, 79, 80, 81, 82, 86, 88, 90, 91, 92, 98, 104, 111, 113, 116, 118, 129, 131, 132, 133, 143, 144, 145, 150, 151, 152, 153
Stuelpnagel, Karl Heinrich von 69
Tawliew, M. P. 147
Telegin, K. F. 99
Timoschenko, Semjon K. 13, 16, 17, 18, 32, 34, 35, 40, 44, 48, 50, 54, 65, 81, 152
Tippelskirch, Kurt von 110, 153
Trotzki, (Sow. Oberst) 96
Tschoibalsan, Chorloogiin 111
Tuchatschewski, Michail N. 14, 32
Tupikow, (Sow. Militärrat) 82
Wassilewski, A. N. 121, 134, 145, 150
Westphal, Sigfried 153
Wischnewski, S. W. 90
Woroschilow, Klement J. 32, 38, 43, 89, 97
Wosnessenski, N. A. 150, 152

Ortsregister:

Alabino 98, 102
Alexin 104, 108, 120
Aprelewka 117, 145
Bely 51, 54
Bely Rast 132
Berditschew 61
Berlin 41, 124
Bialystok 46, 124
Bobruysk 50
Bogorodizk 132, 133, 138
Bolochowo 132
Boriskowo 101
Borodino 98, 103
Borowsk 103, 148
Borschtschewo 132
Brest, Brest-Litowsk 46
Brjansk 8, 51, 55, 65, 72, 73, 78, 85, 86, 88, 119, 124, 148
Charkow 40, 58, 63, 78, 80
Chimki 106, 123
Chowanskoje 144
Dawidkowo 107
Dedilowo 133
Dedowo 144, 145
Dedowsk 143, 144, 145
Demidow 56
Dmitrow 116, 132
Dnjepropetrowsk 80
Dorochowo 108, 120
Dorogobusch 50
Duchowschtschina 48, 89
Dulewo 107
Fominsk 106, 108, 117
Gologusowo 106
Gomel 65, 72, 73
Gorodischtsche 82
Gschatsk 139
Idriza 46
Ikscha 106
Istra 101, 104, 106, 113, 116, 132, 137
Jachroma 8, 119, 132
Jarzewo 51, 54
Jefremow 108
Jelez 108, 136
Jelgosino 106
Jelnja 18, 19, 48, 50, 51, 55, 56, 57
Juchnow 94, 95, 96
Kalinin 98, 100, 101, 108, 137
Kaluga 12, 95, 96, 99, 101, 102, 148
Karagatowo 103
Kasatin 61
Kaschira 113, 117, 119, 132
Kiew 8, 18, 25, 26, 29, 40, 52, 60, 61, 65, 69, 72, 73, 74, 76, 78, 81, 82, 83, 85, 124, 129
Kirow 56, 148
Klin 8, 104, 107, 113, 116, 119, 132, 137, 146, 147
Kolubjakowa 106
Kondrowo 148
Konotop 78, 80
Korosten 61, 72, 73
Koselsk 139
Koslowo 106
Kostljakowo 132
Krasnaja Pachra 104, 107
Krasnaja Poljana 132
Krementschug 73, 80
Kritschew 50, 56
Krjukowo 132, 137
Kubinka 106
Kubytschew 104
Kursk 10, 41, 123
Leningrad 13, 19, 20, 26, 28, 40, 52, 54, 57, 58, 60, 61, 62, 65, 68, 71, 75, 89, 90, 123, 129, 151
Likino 107
Ljuberzy 106
Lochwiza 81, 83, 128
Loetzen 75
London 31
Lopasnja 107
Lotoschino 103, 132
Makarowo 103
Malojaroslawez 92, 94, 95, 99, 101, 102, 104, 117, 139, 148
Medyn 94, 95, 96
Michailow 133, 138
Minsk 7, 46, 124
Mogilew 50
Mordwes 117, 133
Mosalsk 148
Moschaisk 51, 91, 92, 97, 98, 99, 101, 103, 104, 107, 139, 148
Moskau 7, 8, 9, 10, 11, 12, 13, 17, 18, 19, 20, 25, 26, 28, 29, 33, 34, 40, 41, 46, 47, 51, 52, 54, 55, 57, 58, 60, 61, 62, 63, 64, 65, 68, 69, 70, 71, 72, 73, 74, 75, 76, 78, 79, 81, 83, 84, 85, 88, 89, 90, 91, 92, 94, 95, 97, 99, 100, 102,

103, 104, 106, 107, 108, 109, 111, 112, 114, 116, 117, 118, 119, 120, 121, 122, 123, 124, 125, 126, 128, 130, 131, 132, 133, 134, 136, 137, 139, 143, 145, 146, 147, 148, 151, 153, 154
Mytischtschi 106
Mzensk 148
Nachabino 143, 144
Naro 106, 108, 117
Noginsk 119
Nowgorod Sewerski 80
Nowo Petrowskoje 106, 113
Nowo Sawidowski 104
Nowosil 148
Nowy Borisow 65, 66, 70, 71
Nowy Bychow 50
Nudol 51
Obninskoje 92, 94, 96
Odessa 70
Orechowo 107
Orel 84, 85, 90
Oreschki 148
Orscha 48, 50
Ostaschkow 51, 56
Palaschkino 147
Pawlowskaja 106
Pearl Harbor 9
Perchuschkowo 102
Peredelkino 106
Perkuschkowo 140, 142
Perwomaisk 69
Petersburg (Leningrad) 13
Ploiesti 75
Podolsk 101, 107
Pokrowskoje 101
Polotnjany Sawod 139
Polotsk 49, 52
Powarowo 106
Puschkino 106
Ramenskoje 106
Rastenburg 71
Reschetnikowo 132
Rjasan 119
Rjetschiza 46
Rogatschewo 132
Roslawl 48, 50, 51, 54, 66, 68, 69, 89
Rostow 150
Rschew 72, 101, 148
Rusa (Stadt) 147
Schaworonki 106
Schtschekino 132
Serebrjanje Prudy 133
Serpuchow 104, 108, 113, 114, 117
Sloboda 106
Smolensk 7, 30, 42, 46, 48, 49, 50, 51, 52, 54, 56, 57, 65, 66, 69, 124, 126, 148
Snegiri 144
Solnetschnogorsk 116, 117, 132, 137
Stalingrad 9, 41, 42, 88, 123, 125, 129, 136
Stalinogorsk (Nowomoskowsk) 133
Staraja Russa 51
Stariza 100, 101, 148
Starodub 73, 76
Strelkowka 12, 94
Subzow 100, 139
Suchinitschi 138, 148
Swenigorod 117
Sytschewka 100
Tarchanowo 106
Tarutino 106
Terjajewa Sloboda 132
Tichonowa Pustyn 148
Tichwin 150
Tim 108
Troizkoje 107
Tschernaja Grjas 106
Tschernigow 78
Tula 8, 90, 108, 112, 113, 118, 119, 120, 128, 130, 132, 137, 138
Turginowo 103, 109
Uman 69, 70, 124
Uslowaja 132, 133, 138
Verdun 124
Warschau 28
Welikije Luki 48, 49, 52, 56, 57
Welisch 56
Wenew 113, 133, 138
Witebsk 48, 49, 148
Wjasma 7, 8, 52, 72, 78, 84, 85, 86, 88, 90, 92, 95, 97, 102, 103, 119, 120, 124
Wolokolamsk 99, 101, 104, 108, 113, 114, 116, 117, 120, 132, 144
Worobja 106
Woronesch 108
Wysokinitschi 51
Zagorsk 106
Zujewo 107